Winter Morgan a un fils et une fille. Le premier est accro à Minecraft® et lui a inspiré cette histoire. La grande sœur est quant à elle très arrangeante puisqu'elle a la gentillesse de laisser son petit frère monopoliser l'ordinateur et miner des diamants en toute tranquillité.

Du même auteur, chez Castelmore :

Les Aventures non officielles d'un joueur :
1. *La Quête de l'épée de diamant*
2. *La Marque du vandale*

Ce livre est également disponible au format numérique

www.castelmore.fr

Winter Morgan

LA QUÊTE DE L'ÉPÉE DE DIAMANT

Les Aventures non officielles d'un joueur – Tome 1

Traduit de l'anglais (États-Unis)
par Nicolas Ivorra

CASTELMORE

Collection dirigée par Barbara Bessat-Lelarge

Titre original : *The Quest for the Diamond Sword : An Unofficial Gamer's Adventure, Book One*

Loi n° 49-956 du 16 juillet 1949 sur les publications destinées à la jeunesse

Dépôt légal : septembre 2015
ISBN : 978-2-36231-160-4

CASTELMORE
60-62, rue d'Hauteville – 75010 Paris
E-mail : info@castelmore.fr
Site Internet : www.castelmore.fr

1

La vie à la ferme

Steve n'était pas une tête brûlée. Il menait une vie simple dans sa ferme florissante : il cultivait du blé, des carottes, des pommes de terre et des citrouilles tout en élevant des cochons. Il passait ses après-midi à discuter avec Eliot le forgeron ou Avery la bibliothécaire, qui vivaient dans le village voisin. C'est là-bas qu'il échangeait du blé et du charbon contre des émeraudes.

Il utilisait les pierres précieuses ainsi obtenues pour décorer les murs de sa maison. Pourtant, ce matin-là, Steve avait décidé de partir au village pour échanger des émeraudes contre un peu de fer. Il avait l'intention de se forger une armure. Même s'il ne comptait pas particulièrement l'utiliser, il était d'une nature prudente et savait à quel point une armure pouvait se révéler utile. De plus, il aimait bien fabriquer de nouveaux objets.

Eliot était en plein travail lorsque Steve arriva.

— Salut, Steve, dit le forgeron. Tu viens chercher d'autres émeraudes ?

— Non, répondit celui-ci en sortant sa monnaie d'échange. J'en ai trop. J'aimerais t'en échanger contre des lingots de fer.

— Qu'est-ce que tu comptes en faire ? demanda Eliot en lui tendant les blocs. Construire un autre golem ? C'était vraiment gentil de ta part d'en créer un pour notre village.

— Merci. En fait, je pensais me fabriquer une armure, expliqua Steve.

— Ah ! tu vas partir à l'aventure ? s'étonna Eliot, qui n'en croyait pas ses oreilles.

Steve n'était pas le genre de personne à revêtir une armure pour vivre une épopée.

— J'espère bien que non ! répondit celui-ci en souriant. Je me suis juste dit que ce serait utile d'en avoir une dans mon inventaire.

— Dans ce cas, amuse-toi bien à la fabriquer, lui dit le forgeron en lui tendant les derniers lingots.

Sur le chemin du retour, Steve tomba sur Avery, la bibliothécaire, qui lui annonça :

— Passe donc à la bibliothèque, nous avons reçu beaucoup de nouveaux ouvrages.

— Pas aujourd'hui, lui dit-il, je dois forger une armure.

— Comme c'est excitant ! Tu comptes partir à l'aventure ?

— Voyons, tu me connais, j'aime mieux éviter les ennuis et rester tranquillement à la maison.

— Tu sais, les gens se retrouvent parfois plongés dans une aventure sans même l'avoir prévu.

Avery avait dévoré tous les romans héroïques de sa bibliothèque. Elle adorait ce genre d'histoires.

— C'est vrai, répondit Steve en souriant, mais je préfère garder l'armure dans mon inventaire et m'évader en lisant un bon livre.

Une fois chez lui, Steve se mit au travail. Une fois son œuvre terminée, il en enfila les différentes pièces et déambula dans sa maison.

Je dois avoir l'air d'un vrai guerrier, se dit-il avant de retirer l'armure pour aller se promener.

Le soleil était sur le point de se coucher. Steve ne s'aventurait jamais dehors la nuit ; il savait que des creepers pouvaient lui tomber dessus.

Sa ferme se situait près de la mer. Il marcha jusqu'au rivage pour admirer le gigantesque océan en pensant aux contrées qui s'étendaient sans doute de l'autre côté. Il n'avait jamais tenté la traversée en bateau.

La seule aventure qu'il ait jamais vécue avait consisté à apprivoiser un ocelot. Alors qu'il était perdu dans une vaste jungle inexplorée, entouré de buissons touffus, il avait aperçu un animal filant à travers les hautes herbes. Celui-ci avait ralenti l'allure, permettant à Steve de distinguer sa fourrure jaune tachetée de brun et de noir. C'était un ocelot sauvage!

À sa grande frayeur, Steve avait vu la bête lui adresser un regard hargneux. Mais, comme il désirait par-dessus tout dompter un animal sauvage, il avait offert du poisson cru à l'ocelot affamé, qui s'était aussitôt jeté dessus. À chaque nouvelle bouchée, la fourrure du fauve avait changé de couleur, jusqu'à tourner au roux typique des chats domestiques. L'animal avait alors baissé la queue pour signifier qu'il n'était plus sauvage. Steve l'avait baptisé Calinou. Il se sentait plus rassuré depuis que son chat était à la ferme. Tout le monde savait que ces félins faisaient fuir les creepers et Steve avait horreur de ces créatures.

Il savait aussi qu'en se montrant prudent on pouvait éviter les creepers, squelettes, araignées, poissons d'argent, zombies et autres monstres hostiles et agressifs. Steve avait même contribué à protéger le village contre les attaques de zombies. Il avait monté une palissade et placé des torches le long de la rue principale afin d'éclairer les lieux jour et nuit. Ainsi, il était sûr qu'un zombie n'apparaîtrait jamais en plein village. Comme l'avait mentionné Eliot, il avait également construit un golem de fer pour protéger les habitants : il lui avait suffi de poser des blocs de fer couronnés d'une citrouille pour voir s'animer une créature massive et trapue. Lorsqu'il avait vu pour la première fois le golem déambuler dans les rues, Steve s'était senti immédiatement rassuré. Ce gardien allait les protéger, lui et ses amis, de tous les zombies et créatures hostiles.

Lorsqu'il n'était pas occupé à protéger sa maison des prédateurs, Steve s'occupait de transformer du bois en charbon. Il échangeait ensuite son charbon auprès d'Eliot contre des pioches de fer pour aller miner. Il proposait également son blé à John, le fermier du village, qui lui offrait des cookies en retour. Lorsque Steve minait de l'or, il l'échangeait contre des livres d'Avery, la bibliothécaire. Le village et la ferme couvraient tous ses besoins quotidiens et un bon lit chaud l'attendait tous les soirs. C'était un vrai plaisir de rentrer chez soi, accueilli par les miaulements de Calinou qui paressait au milieu de la verdure.

Dès la tombée du jour, Steve filait se mettre au lit. La nuit était un moment dangereux. Au soleil couchant, les ombres prenaient rapidement le pas sur la lumière. Seul le village restait suffisamment illuminé pour empêcher les monstres d'apparaître. Cependant, à l'extérieur des murs, on entendait les zombies grogner et les araignées cliqueter. Toute personne qui restait dehors à la tombée de la nuit pouvait vite devenir la proie des monstres. Heureusement, un bon abri suffisait à se protéger en attendant le lever du soleil. Dès le crépuscule, Steve partait se mettre en sécurité dans son lit, à la ferme. Une fois, il avait même aperçu un grand Enderman entouré d'une aura violette. Il avait pris soin de ne pas le regarder de trop près et s'était enfui à toutes jambes. Steve connaissait la chanson : inutile de prendre des risques ; dès que la lumière baissait, il fallait rentrer chez soi.

Cette nuit-là, alors que Steve dormait dans son lit bien chaud, il entendit des bruits étranges en provenance du village. Les villageois étaient peut-être en danger. Alors que des grognements montaient et que du bois se brisait, Steve comprit aussitôt de quoi il s'agissait : une attaque de zombies ! Il essaya un instant de se convaincre que ce n'était qu'un mauvais rêve, mais le vacarme persistait. Steve se prépara au pire : arriver en ville pour découvrir tous les habitants transformés en zombies. Il jeta un coup d'œil au réveil pour voir si le soleil n'allait pas tarder à se lever, mais il était encore trop tôt. Alors que les secondes s'égrenaient, les cris d'effroi des villageois redoublèrent. Il sut alors qu'il n'avait pas le choix : il devait leur venir en aide. D'ailleurs, Eliot savait que Steve avait désormais une armure. Il attendait sans doute que son ami vienne les sauver des zombies.

Steve aimait bien les villageois ; c'étaient tous de bons amis. Il les préférait même aux explorateurs comme lui, car ils ne se comportaient jamais comme des brutes ou des vandales. Ils avaient leur travail et leurs occupations, cultivant leurs champs et créant des objets utiles à échanger. Certes, ils vivaient une routine monotone et ne quittaient jamais leur village, mais ils s'entraidaient les uns les autres et ne semaient jamais le chaos dans la vie de Steve. Les vandales de passage jouaient de mauvais tours aux autres explorateurs et causaient du grabuge. Ils faisaient exprès de s'en prendre aux autres gens et de leur voler leurs possessions. Certains semblaient même embêter les autres par pur plaisir. Ils utilisaient du TNT pour détruire une maison ou faisaient semblant d'avoir besoin d'aide avant d'attaquer. Steve ne voulait perdre ni sa maison ni ses affaires aux mains des vandales. Il n'avait donc confiance qu'en ses amis villageois. Et ces malheureux étaient justement attaqués par des zombies. Il devait absolument leur venir en aide.

Il essaya un instant de se convaincre que le golem de fer pouvait se charger tout seul des monstres, mais les cris désespérés des habitants ne pouvaient signifier qu'une chose : leur gardien n'avait pas fait le poids face aux zombies. Ou, pire, la créature de pierre avait déjà été vaincue. Steve imagina son amie Avery, qui lui avait prêté tant de livres, courant dans la rue dans sa robe blanche, poursuivie par un zombie. Il se demanda si les monstres avaient déjà détruit les récoltes de John ou si Eliot avait réussi à s'abriter dans sa forge.

Les cris gagnaient encore en intensité et les terribles visions de ses amis attaqués tournoyaient en boucle dans sa tête. Steve savait qu'il devait les aider. S'il n'agissait pas en héros, il ne serait qu'un lâche responsable de la destruction du village. Luttant contre son instinct qui lui criait de fuir le danger, Steve repoussa ses couvertures et sortit du lit. Il fit rapidement le tour de la maison à la recherche d'araignées ou de creepers, puis se rendit à son coffre pour se préparer au combat. Il revêtit alors l'armure qu'il s'était forgée en pensant ne jamais avoir à s'en servir. Heureusement, il avait un inventaire bien fourni en armes et en outils, car il avait l'âme d'un collectionneur. Il sortit sa boussole, son épée de fer, son arc et ses flèches. Ensuite, il prit sa fameuse épée en or, juste au cas où. Son cœur battait la chamade. Le moment tant redouté était arrivé, et il allait devoir faire face.

2

Les problèmes commencent

Il faisait nuit noire dehors, l'idéal pour les monstres affamés. Les créatures hostiles avaient escaladé la muraille qui protégeait le village et s'agglutinaient autour des bâtiments. De nombreuses torches étaient éteintes. Steve aperçut un gros cratère devant lui. Un creeper avait sans doute explosé là, détruisant les lumières et plongeant le village dans les ténèbres. Alors que Steve sortait de chez lui, il poussa un cri d'effroi : une araignée chevauchée était en train d'escalader le mur de sa maison. Les yeux rouges de l'arachnide étincelaient dans le noir. Un squelette était fièrement juché sur son dos. Steve savait que ces créatures plutôt rares pouvaient le réduire en miettes en l'espace de quelques secondes. L'araignée avait une excellente vision nocturne et son cavalier était très bon tireur, ce qui doublait les risques de se faire tuer. Le cœur de Steve battait à cent à l'heure dans son armure de fer. Il sortit son arc et ses flèches et prit une profonde inspiration.

Soudain, le squelette repéra Steve et commença à tirer. Une flèche s'écrasa avant de rebondir sur son torse protégé par le plastron de métal. Il s'éloigna en courant de l'araignée, qui sauta du mur pour le rejoindre. Son cavalier visait désormais les jambes découvertes de Steve. Celui-ci courut aussi vite que possible en évitant de justesse les projectiles, puis se retourna pour tirer sur son terrible ennemi. Hélas! le combat s'éternisait. Il évita habilement une volée de traits et encocha une nouvelle flèche pour abattre l'araignée. Il devait à tout prix l'éliminer en premier car, s'il tuait le squelette, sa monture serait alors libre de se jeter sur lui.

Steve ralentit sa course et visa soigneusement la bête. « Tchac ! » Le projectile se ficha en plein dans l'abdomen de l'araignée, qui s'écroula au sol. Le squelette se lança alors à l'attaque. D'un deuxième tir précis, Steve l'abattit à son tour.

Il avait vaincu l'araignée chevauchée ! C'était la première fois qu'il terrassait un ennemi aussi costaud. Il ramassa l'œil lâché par l'araignée et le rangea dans son inventaire pour pouvoir l'utiliser plus tard. Revigoré par sa victoire, il s'élança alors d'un pas vif en direction du village afin d'y affronter les zombies. Il se sentait l'âme d'un vrai guerrier, à présent.

Alors qu'il approchait des premiers bâtiments, il croisa Eliot qui s'enfuyait vers sa forge.

— À l'aide ! cria celui-ci. Tu as une armure, occupe-toi des zombies.

Apparemment, Eliot lui faisait confiance, mais savait-il à quel point son ami était effrayé ?

Steve aperçut alors un groupe de zombies autour d'une maison du village, qui essayait d'en défoncer la porte. Tous les villageois cherchaient à se barricader, mais les morts-vivants verdâtres aux yeux glauques arrachaient les portes des boutiques, des habitations et des restaurants. Ils brisaient les fenêtres de verre et démolissaient les toits. Il n'y avait nulle part où se cacher. Steve lutta contre l'envie de suivre l'exemple d'Eliot. Fuir serait faire preuve de lâcheté.

Il chercha du regard le golem de fer, mais il ne le vit nulle part. Il s'avança sur une zone d'herbe et aperçut alors le corps brisé du géant de métal, sa tête de citrouille étalée à côté de ses énormes pieds. On aurait dit qu'un vandale était venu au village pour tuer le golem et s'emparer de son fer. Steve n'avait pas le temps de s'appesantir sur la question : une horde de zombies se ruait sur lui.

Il se mit à l'abri derrière un gros arbre, dans l'espoir d'échapper à ses poursuivants. Hélas !

son répit fut de courte durée : un groupe de zombies s'approchait à grands pas. Steve se jeta sur eux, l'épée à la main, et en tua deux d'un coup. Après son combat contre l'araignée chevauchée, il se sentait capable de l'emporter rapidement. La réalité lui donna tort : minute après minute, de nouveaux zombies apparaissaient. Les créatures blessées en appelaient d'autres en renfort et bientôt Steve fut submergé. Il savait que son armure pouvait le protéger, mais il lui était impossible de tous les vaincre. De plus, ses épées commençaient à s'user. La première d'entre elles avait rendu l'âme au début du combat et la dernière donnait des signes de faiblesse.

Steve s'inquiétait du sort des villageois. Qu'adviendrait-il d'eux s'il n'arrivait pas à vaincre les zombies ? Allaient-ils être transformés en morts-vivants à leur tour ? Malgré son imposante collection d'objets, il n'avait pas la moindre potion de faiblesse ni de pomme d'or, les deux objets nécessaires pour guérir un villageois infecté. Il aurait également pu fabriquer un portail de fer pour enfermer les malades dans une prison temporaire. Hélas! le temps jouait contre lui. Il devait continuer le combat et espérer trouver une solution plus tard.

Steve fouilla dans son inventaire et sortit son arc. Il commença à tirer sur les zombies et réussit à en abattre quelques-uns, mais il y en avait une véritable armée. Ses flèches ne faisaient pas le poids face à une horde de morts-vivants. Il lui fallait un autre plan. Il imagina un instant mener les créatures stupides jusqu'à une falaise ou l'océan, de manière à la forcer à sauter ou à se noyer. Malheureusement, il n'était pas sûr que les zombies mouraient ainsi. De toute façon, il était coincé dans le village, encerclé par une meute de monstres sanguinaires. Pire encore, chaque villageois qui succombait se transformait immédiatement en zombie. Derrière la foule de monstres qui l'entourait, Steve aperçut le boucher du village, encore vêtu de son tablier blanc, mais la peau désormais verdâtre et pourrie. Ses amis villageois devenaient peu à peu des morts-vivants et s'attaquaient à la seule personne qui essayait de les sauver. La bataille était perdue d'avance ! Steve tenta tout de même sa chance et courut en direction des zombies. Il tira sans discontinuer afin de les tuer avant qu'ils n'appellent des renforts. Juste au moment où il pensait avoir enfin remporté le combat, il aperçut un dernier zombie au loin.

Alors que la silhouette s'approchait de lui en titubant, il ne put réprimer un frisson d'effroi. Il avait eu son compte d'horreurs pour la journée et, malgré ses exploits, il se sentait toujours effrayé. D'une main tremblante, il visa et décocha difficilement sa flèche. Le projectile traversa mollement les airs avant de terminer sa course devant le zombie, qui l'écrasa au passage en s'élançant sur Steve. Le cœur battant la chamade, celui-ci luttait pour dominer sa peur et ne pas abandonner ses amis.

C'est alors qu'il entendit Eliot le forgeron appeler à l'aide. Un zombie l'avait sans doute attaqué. Steve ne pouvait pas laisser tomber son ami. Rassemblant tout son courage, il rangea son arc et ses flèches et sortit sa puissante épée en or de son inventaire. Alors qu'il agrippait l'arme d'une main ferme, le zombie s'en empara brusquement avant de briser la lame en deux. Il jeta les morceaux au sol et se rua sur Steve. Celui-ci, désarmé et sans défense, commença à s'enfuir loin de la créature aux yeux glauques.

Il courut à travers les rues familières du village jusqu'à la forge d'Eliot, fonça dans le bâtiment et ferma la porte derrière lui. Il avait eu l'idée d'échanger des émeraudes contre une épée neuve, mais, hélas, il était déjà trop tard ! Eliot le forgeron se transformait déjà en zombie. Steve avait échoué à protéger son ami. Un sentiment de désespoir et d'impuissance l'envahit.

Il resta planté là, à regarder son ami se métamorphoser en mort-vivant. Il avait le cœur brisé en pensant à tout ce temps passé à bavarder et échanger avec le forgeron. Il entendit alors les appels à l'aide d'Avery, la bibliothécaire. Il venait d'échouer une première fois, il n'allait pas laisser tomber un autre villageois : il lui fallait rejoindre la bibliothèque.

« Boum ! » « Crac ! » Le zombie terrifiant était en train de défoncer la porte de la forge. Steve eut une idée : sortant une pioche de son inventaire, il se mit à creuser le sol. Alors qu'il s'enfonçait peu à peu, il entendit le monstre arracher la porte de ses gonds. Alors que le zombie pénétrait dans la forge, Steve émergea de son tunnel, en plein centre du village. Malheureusement, il fut aussitôt entouré d'une horde de zombies. Il réussit à les esquiver et à s'enfuir, mais les monstres le suivaient de près. Alors qu'il s'éloignait du village, pourchassé par les zombies, il entendit les appels désespérés d'Avery. Il savait qu'il aurait dû faire demi-tour, mais c'était tout simplement impossible.

Un regard par-dessus son épaule lui apprit que les zombies étaient tout proches. Il tira quelques flèches en courant, qui firent mouche plusieurs fois. Il s'enfonça dans la nuit noire, cherchant désespérément une cachette, sans succès. C'est alors qu'il aperçut une caverne au loin. Steve avait horreur des grottes et ne s'était jamais risqué dans leurs profondeurs, mais il espérait pouvoir s'y cacher, ou trouver de la lave pour repousser les zombies. Comme ses poursuivants se rapprochaient, Steve accéléra encore vers la caverne.

Un des zombies n'était plus qu'à quelques pas de lui. Steve tremblait tellement que son plastron glissa de ses épaules. Il essaya de le ramasser, mais la créature le lui arracha des mains et plaça l'armure sur son propre torse. Ensuite, la créature appela ses congénères à l'aide. Le plastron de fer avait fait de ce zombie un supercombattant, protégé par l'épaisseur du métal. Il portait également un casque, ce qui signifiait qu'il était protégé de la lumière brûlante du soleil, contrairement aux autres zombies.

La créature en armure se précipita sur Steve, qui se jeta en arrière. Sans protection, il n'avait plus qu'une seule voie de sortie. Comme il avait passé la matinée à miner dans une zone contenant de la lave et de l'eau, il possédait un bon stock d'obsidienne sur lui. Il empila rapidement les blocs sombres pour former un cadre, puis donna un coup de briquet dans le vide. Une brume pourpre s'éleva dans les airs. Steve venait d'achever un portail vers le Nether. Après un dernier coup d'œil vers son village, il plongea dans le Nether afin d'échapper à l'assaut des zombies.

3

Plongée dans l'inconnu

Steve flotta comme une plume avant d'arriver dans le paysage rougeâtre du Nether, illuminé par les lacs de lave. Ici, il n'y avait pas de cycle du jour et de la nuit, comme dans l'Overworld. Steve consulta sa boussole pour se repérer, mais l'aiguille tournait toute seule. De tels instruments étaient inutiles dans le Nether.

Tandis que sa vision s'adaptait peu à peu à la luminosité écarlate, il explora pas à pas ce nouvel environnement inhabituel. Le Nether était un endroit à la fois dangereux et plein de ressources utiles. Il distingua une mare de lave au loin et des champignons qui poussaient çà et là. Steve se pencha pour en ramasser un. Il savait que l'œil d'araignée qu'il avait récupéré pouvait être mélangé à du sucre afin de créer une potion. Au moment où il s'apprêtait à cueillir son premier champignon, il fut interrompu par le ululement aigu d'un ghast. Il dérivait en flottant non loin de là, les yeux clos, ses tentacules pendillant sous son corps blanc et cubique.

Steve examina les environs à la recherche d'une bonne cachette. Il risquait de se tuer en s'approchant de la mare de lave, et il n'y avait ni arbre ni grotte terrifiante où s'abriter. Les ghasts avaient une vision limitée, il aurait donc pu se dissimuler derrière des feuilles ou du verre. Hélas ! il n'avait rien sous la main. Il songea un instant à traverser de nouveau le portail, mais cela signifiait affronter le zombie en armure. De plus, il ne pouvait pas retourner au village sans un plan précis pour sauver Avery, les autres villageois et lui-même. Il essaya donc de se faire tout petit, en espérant que le ghast passe sans le voir. Malheureusement, il était déjà trop tard : la créature aperçut Steve, ouvrit ses yeux rouges démoniaques et se prépara à combattre.

Le ghast ressemblait à une grosse méduse avec ses tentacules blancs sous son ventre. Il émit une sorte de pépiement, signal d'une attaque imminente. Sans arme ni armure, Steve était sans défense. La créature ouvrit une gueule béante pour cracher une boule de feu brûlante. Les flammes rougeoyèrent dans l'atmosphère voilée du Nether. Steve n'avait pas le temps d'éviter la sphère enflammée. D'un coup de poing, il frappa la boule de feu pour la renvoyer vers le ghast, qui poussa un gémissement de douleur en explosant sous l'impact.

Steve se fraya un chemin dans le Nether, passant à côté d'une chute de lave pour atteindre une plage de sable des âmes. Alors qu'il récoltait des blocs de sable, il aperçut au loin la silhouette massive d'une forteresse du Nether, au-delà d'un lac de lave. Soudain, il eut une idée ! On pouvait trouver des diamants dans une telle forteresse. Avec ces diamants, Steve pourrait forger une puissante épée qui viendrait à bout du zombie en armure.

— J'utiliserai quarante diamants ! s'exclama Steve à voix haute.

Ses conversations avec Eliot lui manquaient. Le son de sa propre voix le réconforta un peu, même s'il n'y avait personne pour l'entendre. Il continua à parler d'un ton plein d'espoir :

— Avec ces joyaux, je forgerai l'épée la plus puissante du monde et je l'utiliserai pour tuer ce zombie en armure et sauver les villageois !

— Des diamants ? s'écria une voix.

Steve se rendit compte qu'il n'était pas seul.

— Qui es-tu ? demanda-t-il.

— Je suis Jack, répondit la voix, alors qu'une silhouette vêtue d'une armure de diamant émergeait de derrière les blocs.

— Waouh, tu as une armure en diamant !

Steve était impressionné, mais il resta sur ses gardes. L'étranger pouvait être un vandale.

Néanmoins, Steve se sentait si seul que la moindre compagnie était la bienvenue.

— Si tu me donnes un lingot de fer, je t'apprendrai comment voyager dans le néant, déclara Jack.

Steve avait déjà entendu parler du néant. C'était une zone du Nether dépourvue de créatures hostiles, qui permettait de circuler sans encombre dans cette contrée effrayante.

— Contre un seul lingot de fer ? demanda-t-il, étonné qu'on ne lui demande pas plus pour un tel service.

— Oui, répondit son interlocuteur en acceptant le lingot.

Soudain, Jack dégaina une épée de diamant et se jeta sur Steve, qui bondit en arrière.

— Donne-moi tout le contenu de ton inventaire, exigea l'agresseur, et vite !

L'épée brillait d'un éclat bleuté dans l'atmosphère rougeâtre du Nether. Steve partit en courant vers une mare de lave, mais il n'avait aucun moyen de s'échapper. Soit il mourait dans la lave, soit Jack le tuait à coups d'épée.

Soudain, il entendit une sorte de piaillement : un ghast. La créature leur tira dessus. Alors que Jack essayait d'échapper à la boule de feu, il bouscula Steve et glissa malencontreusement dans la lave. Steve aurait aimé récupérer l'épée de diamant des mains du vandale, mais il était trop tard : son agresseur avait été englouti par le magma. Il aurait risqué de se brûler, ou pire, en essayant d'attraper la poignée de l'arme. De toute façon, il devait agir vite, car le ghast revenait à l'assaut.

Steve sortit rapidement son arc et ses flèches et, d'un tir précis, il abattit le monstre.

— Je t'ai eu ! s'exclama-t-il en assistant à la mort du ghast.

Il jeta aussitôt un regard angoissé autour de lui, se souvenant brusquement de ce qui s'était passé la dernière fois qu'il avait parlé à haute voix. Une autre personne aurait pu lui tomber dessus. Il devait se tenir prêt.

Steve venait de rencontrer son premier vandale et s'en était sorti vivant. Cette victoire lui redonna confiance. Il s'engagea sur un pont qui traversait une mer de lave et passa à côté de grandes colonnes de briques du Nether qui s'élevaient à une hauteur incroyable. Il devait régulièrement sauter pour éviter les petits feux qui brûlaient au sol. Steve regardait attentivement où il mettait les pieds, car le Nether était un endroit imprévisible. Il continua d'avancer en direction de la forteresse, dans l'espoir d'y trouver des diamants pour sauver ses amis.

Alors qu'il sautait au-dessus d'une petite mare de lave, un cochon zombie fit irruption devant lui, l'épée au poing. La créature à tête porcine et à la peau pourrissante était apparemment en mode attaque.

Décidément, j'ai le don pour attirer les zombies! songea Steve en construisant rapidement un mur de trois blocs de haut pour se protéger de son adversaire.

Ensuite, il sauta bien haut et assena un grand coup au monstre, qui tomba au sol. Son attaque déclencha l'apparition d'un groupe de cochons zombies agressifs. À l'aide de blocs de pierre, il bâtit rapidement quatre murs autour de lui, puis creusa un trou en bas de son abri. Il utilisa alors la meurtrière pour frapper les morts-vivants. Chacune de ses victimes lâchait un lingot d'or. Steve les récupéra rapidement et se forgea une épée.

Brandissant fièrement sa nouvelle arme, il reprit sa route vers la forteresse du Nether. Il fut alors repéré par un blaze au corps jaune et aux yeux noirs, flottant au-dessus du bâtiment. La créature semblait monter la garde de cette majestueuse forteresse. Steve attrapa un bloc de briques du Nether pour s'abriter des projectiles enflammés que le blaze projetait vers lui.

Soudain, deux autres blazes apparurent ! Les nouveaux adversaires lui tirèrent dessus et les flammes frôlèrent son corps, manquant de faire fondre sa nouvelle épée en or. Un blaze vaincu laissa tomber un bâton à ses pieds. Steve s'en empara aussitôt, car il savait que ce serait utile pour concocter des potions. Un autre projectile le manqua de peu. La seule façon de survivre à l'affrontement consistait à fabriquer une pomme d'or enchantée. Il aurait préféré l'utiliser pour guérir Eliot le forgeron, mais il était forcé de l'utiliser sans attendre. Les pommes d'or avaient le pouvoir de protéger du feu pendant cinq minutes, et Steve n'allait pas tarder à succomber à la chaleur. Cela coûtait cher à fabriquer, mais il n'avait pas le choix. Steve en fabriqua une à l'aide de blocs d'or et d'une pomme tirés de son inventaire, puis il la croqua d'un coup. Pendant les cinq minutes suivantes, il serait à l'abri des flammes.

Une véritable lutte contre la montre s'engagea alors tandis qu'il affrontait les trois blazes qui gardaient l'accès à la forteresse. Leur puissance avait beau être diminuée par la pomme d'or, les créatures essayaient tout de même d'écraser Steve au sol. Celui-ci dégaina sa puissante épée de fer et détruisit les monstres avant de récupérer les points d'expérience qu'ils lâchaient à leur mort. Auréolé de sa nouvelle victoire, il pénétra dans la gigantesque forteresse.

Les murs étaient décorés de blocs de luminite. La lueur dorée qui en émanait se reflétait sur la brique du Nether et éclairait les salles. Le tout donnait une apparence majestueuse et accueillante à la forteresse. Steve n'avait jamais rien vu d'aussi beau. Il examina tout de même attentivement les environs, à la recherche de blazes, mais il était seul. Il se savait à l'abri des ghasts, car ces créatures ne supportaient pas les espaces clos et ces bâtiments étaient construits en matériaux résistants à leur souffle. Steve put enfin se détendre et profiter de l'aspect somptueux du fort colossal. Au centre de la structure, il tomba sur un énorme escalier de briques du Nether et de sable des âmes. Des verrues du Nether poussaient au sol, au pied des marches.

Steve s'approcha de l'escalier pour cueillir ces ingrédients essentiels à la fabrication de potions. Alors qu'il se penchait pour commencer sa récolte, un blaze surgit de derrière un mur. Steve mina un bloc du Nether et s'abrita derrière ce matériau résistant aux flammes, puis il plongea son épée dans le corps du blaze et le regarda s'effondrer au sol, agonisant.

À l'instant même où son adversaire rendait l'âme, un cube rouge et brun surgit en sautant d'une mare de lave qui se trouvait au milieu de l'escalier. Ses yeux brûlant comme des braises attirèrent le regard de Steve. Ce cube de magma était une créature hostile qu'il devait vaincre au plus vite. D'un coup agile de son épée, il trancha le cube en deux. Steve se jeta sur chacune des créatures et les frappa jusqu'à les éliminer toutes. De la crème de magma tomba au sol et Steve se précipita pour ramasser ce précieux ingrédient.

L'œil aux aguets, il poursuivit sa route dans la forteresse, à la recherche des diamants si rares à trouver. Les salles étaient toutes vides. Un autre explorateur avait dû vider les lieux de ses trésors. Alors qu'il courait pour rejoindre la sortie, il aperçut des blazes en train d'apparaître dans une salle. Steve espérait bien trouver une autre structure remplie de diamants.

Au-dehors, il ne vit que des mares de lave et des flammes. Trouver une nouvelle forteresse pouvait lui prendre des jours et sa barre de nourriture était dangereusement basse. Il ne pouvait pas continuer à arpenter le Nether. Il devait retourner dans l'Overworld, afin d'y chasser des vaches pour se nourrir. Hélas ! son portail d'arrivée lui était interdit d'accès, car il conduisait directement au milieu de la horde de zombies. Steve devait donc créer un autre portail, qui le mènerait tout droit vers une terre inconnue. C'était une idée effrayante, mais il n'avait pas le choix.

Il érigea donc un cadre d'obsidienne tirée de son sac. Il alluma le portail et sauta dedans. Il n'avait aucune idée de l'endroit où il allait réapparaître. Sa ferme et son chat Calinou lui manquaient terriblement. Il espérait que sa maison et son ocelot seraient toujours là à son retour. Steve avait peur de ne jamais pouvoir rentrer chez lui. Alors qu'il se laissait transporter entre les deux mondes, il ferma les yeux en imaginant qu'il se trouvait encore bien au chaud dans son lit.

4

Le temple des chasseurs de trésors

Steve ouvrit les yeux et vit de la poussière, ou plutôt du sable, s'étendant à perte de vue. Il se trouvait dans un désert, bien loin du paysage familier de sa ferme et du village. Steve s'inquiéta immédiatement du manque de nourriture : c'était une contrée désolée, totalement vide. Il avait entendu parler de gens perdus dans le désert, poursuivant des mirages et se perdant dans les étendues infinies. Il pouvait au moins bâtir une maison en grès ou bien creuser le sol. Inquiet à l'idée que sa barre de nourriture diminue trop, Steve partit en quête d'aliments.

Les blocs jaunâtres étaient presque aveuglants sous le soleil. Il aperçut des marches taillées dans le grès. Il y grimpa pour tenter de repérer un village à l'horizon, mais il n'y avait rien. Steve se dit que sa dernière heure était venue. Il allait mourir et réapparaître dans sa ferme, où les zombies l'attaqueraient immédiatement. Il poursuivit sa route dans les dunes désertiques, dans l'espoir de trouver quelqu'un.

Lorsqu'il fut vraiment désespéré, Steve commença à creuser. En récupérant assez de grès, il pourrait bâtir une maison et recommencer une nouvelle vie dans cet endroit désolé. Il utilisa sa pioche pour descendre loin sous la surface. Après avoir miné un petit bout de temps, il tomba sur une structure carrée. Un temple! Il y avait forcément des trésors à trouver, peut-être même des diamants. Steve creusa un trou au centre du temple, qui ressemblait à une pyramide égyptienne. Une fois à l'intérieur, il entendit des voix: il n'était pas seul.

— Qui est là ? s'écria-t-il d'une voix tremblante.

Aucune réponse. Il entendit des gens murmurer et se prépara à une attaque.

— Qui êtes-vous ? demanda-t-il.

Silence total.

Soudain, trois personnes émergèrent de derrière un mur de grès, deux garçons et une fille.

— Ne lui dis rien, Henry ! cria un garçon en armure de cuir teintée de bleu à son ami, qui était vêtu d'une armure d'or et brandissait une pioche.

— Max, tout le monde sait que la seule raison d'explorer un temple c'est pour découvrir les quatre coffres au trésor, répondit Henry à son ami au casque bleu.

— Faisons-lui confiance, déclara la troisième personne, une fille en armure teintée de rose.

— Et pourquoi donc, Lucy ? rétorqua Henry d'un ton agacé.

— Vous êtes des chasseurs de trésors ? leur demanda Steve.

Après sa rencontre avec le vandale dans le Nether, il ne faisait plus confiance à personne.

— Peut-être bien, répondit Henry d'un ton insolent.

— Tu es tout seul ? demanda Max à Steve.

— Oui, répondit-il en espérant qu'il ne s'agissait pas de vandales prêts à lui casser les pieds ou même le tuer.

De toute façon, il n'avait plus rien de valeur sur lui depuis qu'il avait dépensé tout son or pour créer une pomme enchantée. Il n'avait même plus de nourriture et il mourait de faim.

Il contempla le petit groupe et se dit qu'il allait devoir leur faire confiance et se joindre à eux. Il n'avait pas le choix.

— Comment comptez-vous mettre la main sur le trésor ? Je sais qu'il est piégé, expliqua Steve.

— On le sait bien, nous sommes des experts ! rétorqua Henry.

— Tu veux te joindre à nous ? On partagera le butin, proposa Lucy.

— Si vous êtes des experts, pourquoi avez-vous besoin de mon aide ? demanda Steve, méfiant.

— Parce que tu nous fais pitié, dit-elle en souriant.

— Notre devise, c'est : « Plus on est de fous, plus on rit. » On aime bien se faire de nouveaux amis.

Henry adressa un regard à ses compagnons.

— Nous ferions peut-être mieux de le laisser tout seul. C'est peut-être un vandale. Est-ce qu'on peut lui faire confiance ?

— Il a l'air sympa, dit Lucy.

— Comment sais-tu qu'il est sympa ? s'étonna Henry. Nous venons juste de le rencontrer.

— Tu as raison, c'est peut-être un vandale, mais il a plutôt l'air d'avoir peur de nous, rétorqua Lucy.

— C'est vrai, mais il fait peut-être semblant. C'est sans doute un vandale doublé d'un imposteur.

Henry ne faisait confiance à personne, mais les gens le lui rendaient bien.

— Écoute, il n'y a qu'un seul moyen de le savoir, c'est de le laisser travailler à nos côtés, déclara Max.

— D'où viens-tu ? demanda Henry à Steve.

— J'habitais dans une ferme, près d'un village. J'ai dû partir à cause d'une attaque de zombies, expliqua celui-ci.

— Une ferme ? Avec des champs de blé ?

— Pas que ça. Je faisais aussi pousser des carottes, des pommes de terre et des citrouilles, tout en élevant des cochons.

— Des carottes ? s'exclama Henry.

Il avait un regard envieux. Les carottes avaient beaucoup de valeur. La ferme devait en contenir une bonne quantité, ce qui signifiait que Steve pouvait se révéler utile.

— Oui, j'ai une grande propriété.

Steve ne voulait pas se vanter, mais il avait effectivement une grande demeure. Il possédait six chambres et plein de lits, ainsi qu'assez de nourriture pour accueillir plusieurs personnes. Il avait travaillé dur pour en arriver là. Cependant, il se retint d'en dire trop. Il avait aperçu la lueur d'envie dans les yeux de Henry et cela ne lui plaisait guère.

— Tu as plusieurs chambres dans ta maison ? demanda Lucy.

— Oui, j'en ai six, expliqua Steve, avant d'ajouter sans y réfléchir à deux fois : j'ai également un ocelot du nom de Calinou.

— C'est mignon, approuva-t-elle en hochant la tête.

— Si on te laisse nous rejoindre, tu nous emmèneras à ta ferme ? demanda Henry en souriant.

— Oui, mais j'ai bien peur qu'elle ne soit envahie de zombies. Alors que j'aidais les villageois, j'ai perdu mon armure et un mort-vivant s'en est emparé.

— Les zombies en armure sont les plus dangereux, dit Max.

— C'est vrai ! approuva Steve.

—Nous t'aiderons à éliminer les zombies, déclara Henry.

—J'ai un plan, dit Steve.

Il avait compris qu'il ne pouvait pas espérer vaincre les zombies tout seul. Comme il n'avait rien sur lui qu'on puisse vouloir lui voler, il ne lui restait plus qu'à faire confiance à ces trois personnes. Il avait besoin d'aide. Il expliqua alors au groupe son plan consistant à trouver quarante diamants pour forger l'épée la plus puissante du monde.

—C'est une idée géniale, dit Lucy en souriant.

—Nous sommes partants, dit Henry.

—Pourquoi ? demanda Steve, toujours aussi méfiant.

—Notre maison a été détruite et nous préférons chercher des trésors plutôt que de tout reconstruire. Si nous vivions dans ta ferme, nous aurions tout le temps pour partir à la chasse au trésor, expliqua Henry.

—En plus, Max est un guerrier hors pair, ajouta Lucy. Tu serais content de l'avoir à ton côté.

— D'accord ! répondit Steve.

Il avait décidé de leur faire confiance et de se faire de nouveaux amis. C'est alors, en avançant dans le temple, qu'il se rendit compte qu'il allait peut-être tomber dans un piège.

5

Les pièges

— Attention ! cria Lucy.

Steve regarda à ses pieds : il avait failli tomber dans la salle du temple. Sur le sol, il aperçut neuf blocs de TNT et de la laine colorée.

— C'est la plaque de pression, expliqua Max. Tu n'étais jamais allé dans un temple, n'est-ce pas ?

— Non, admit Steve avec humilité, je n'avais jamais quitté ma ferme et mon village jusqu'à présent. Depuis l'attaque des zombies, je suis allé dans le Nether et…

Max l'interrompit :

— Tu as survécu au Nether ?

— C'est impressionnant ! s'exclama Lucy.

— Je suis déjà allé partout, déclara Henry avec aplomb. Je te montrerai comment faire. Pour commencer, il ne faut jamais marcher sur une plaque de pression. Sinon, c'en est fini de toi.

— Nous allons devoir creuser autour, dit Lucy.

Ils se mirent tous à l'ouvrage, creusant profondément le sol du temple à la recherche des trésors.

— J'espère que ces coffres contiendront des diamants que nous pourrons utiliser pour forger l'épée, dit Steve d'un ton passionné.

— Trêve de bavardages. Concentrons-nous sur la manière d'atteindre le trésor. Il faut beaucoup de talent pour y arriver, dit Max.

— Et si nous prenions la laine et le TNT du piège ? suggéra Lucy.

— Bonne idée ! approuva Henry. Ça a de la valeur et c'est amusant de faire sauter des trucs.

— Henry ! le gronda Lucy. Je ne parle pas de faire sauter des choses, mais de découvrir le trésor.

Steve aimait bien les écouter bavarder. Il avait passé trop de temps tout seul et il comprenait désormais l'importance d'avoir des amis, surtout d'autres explorateurs et aventuriers comme lui. À la différence des villageois, ses nouveaux compagnons pouvaient lui venir en aide, comme ils venaient de le faire en l'empêchant de marcher sur la plaque de pression. Steve pouvait aider les habitants du village, mais l'inverse était impossible, car ils étaient sans défense face aux monstres hostiles.

Le groupe continua à creuser. Ils finirent par atterrir avec fracas dans une salle intérieure. Steve releva la tête et découvrit que tous les murs étaient ornés de torches. Ils continuèrent à creuser dans les profondeurs du temple. Ils avançaient avec précaution dans cet environnement étranger, à l'affût du moindre piège.

— Nous approchons du trésor ! s'exclama Max.

— Il va falloir être prudents, dit Henry. Si nous déclenchons le TNT, nous détruirons les quatre coffres avec tous leurs trésors.

Henry semblait être un chasseur de trésors expérimenté, ce qui ne manqua pas d'impressionner Steve. Le groupe creusait lentement, mais sûrement, dans la salle secrète, veillant à ne pas déclencher d'explosion. Tandis qu'ils frappaient les murs du temple à coups de pioche, les blocs de grès éclataient un à un, tombant en poussière à leurs pieds. Ils finirent par émerger dans une grande salle beige remplie de briques de grès. Quatre trous rapprochés s'ouvraient dans le sol, au milieu de la pièce. Henry s'approcha du premier trou, suivi de près par le groupe. Il était vide ! Les deux autres trous étaient également dénués de tout contenu. Seul le dernier trou contenait un coffre.

— N'approchez pas ! les prévint Henry.

Les autres se plaquèrent contre le mur.

— Que se passe-t-il, Henry ? demanda Max.

— Je n'ai pas confiance. Pourquoi quelqu'un laisserait-il un seul coffre ? Ça n'a aucun sens.

— Tu penses que c'est un piège ? lui demanda Lucy.

— Je n'en suis pas sûr, mais je n'ai pas envie de vérifier. Je crois qu'on ferait mieux de ne pas y toucher.

— Henry a raison, approuva Max. Si nous l'ouvrons et qu'il est bourré de TNT, l'explosion pourrait nous tuer.

Steve se demanda si le fait de mourir serait si embêtant. Il réapparaîtrait dans son lit et toute cette aventure ne serait plus qu'un mauvais rêve. C'est alors qu'il se rappela la horde de zombies qui l'attendait.

— Je veux vérifier s'il y a des diamants, annonça-t-il au groupe.

— Ça ne vaut pas le coup, rétorqua Max.

— Mais il me faut quarante diamants. Je dois sauver mon village. J'ai besoin de cette puissante épée ! s'exclama-t-il.

—Je sais à quel point tu veux cette arme, mais ce n'est pas ainsi que tu vas l'obtenir. Cela risque de mal finir, lui dit Lucy.

—Nous avons déjà eu affaire à ce genre de situation. Nous savons à quel point ça peut mal tourner, l'informa Henry.

—De toute façon, les diamants sont un butin plutôt rare. Même si le coffre n'explose pas, il ne contient probablement que de la chair pourrie et de l'or, ajouta Lucy, cherchant à convaincre Steve des difficultés de la chasse au trésor.

Steve s'approcha tout de même du coffre.

—Stop! hurla Lucy. Un vandale l'a peut-être piégé pour qu'il explose!

Max examina sa boussole.

—Notez bien où nous nous trouvons, au cas où tout le monde se ferait tuer. Il faut qu'on puisse se retrouver les uns les autres.

—J'ai mes coordonnées, dit Lucy.

—Attends, tu me crois assez stupide pour vouloir l'ouvrir? s'écria Steve. Je ne suis pas comme vous, les gars. Je n'aime pas me faire tuer. Pourquoi n'essaies-tu pas de l'ouvrir, toi ?

— Nous cherchons à éviter les risques inutiles, dit Henry. Personne ne laisserait un coffre au trésor comme ça. C'est sans doute un vandale utilisant un mod pour créer des bugs et embêter les autres.

Steve se demanda un instant comment Henry en savait autant sur les vandales.

— Partons d'ici. Je pense qu'il doit y avoir un autre temple aux trésors pas loin, déclara Henry.

— Suivons la carte. Sortez vos boussoles, ordonna Lucy.

Avant même qu'ils n'aient pu sortir, le sol se mit à trembler sous leurs pieds. L'instant d'après, ils tombèrent tous dans le vide, sans savoir où ils allaient atterrir.

6

Donjons et explosions

« Blam ! » Le groupe atterrit rudement au sol, dans une salle plongée dans l'obscurité.

— Où sommes-nous ? demanda Steve d'une voix tremblante.

— Et où est Max ? renchérit Henry d'un ton nerveux.

C'est alors que leur ami toucha terre à côté d'eux, une torche à la main.

— J'ai réussi à attraper ça en tombant, déclara-t-il.

— Bien joué, le félicita Lucy. Voyons voir où nous sommes arrivés.

Grâce à la lumière de la torche, leur petite troupe parvint à avancer dans les méandres souterrains du donjon. Malheureusement, un piston camouflé dans un mur se déclencha à leur passage, soufflant la flamme de la torche. Ils essayèrent de se repérer dans les tunnels grâce au peu de lumière qui filtrait du trou au-dessus d'eux. Chaque pas semblait plus lent que le précédent. Le fait de ne rien y voir les rendait nerveux.

— Qu'est-ce que c'est ? demanda Lucy en montrant une lueur rougeâtre provenant d'une paroi. Peut-être une sortie ?

L'éclat rouge et brillant s'évanouit.

— La lueur vient de se rallumer ici, s'exclama Henry.

Avant même qu'il n'ait pu pointer du doigt, ils se retrouvèrent de nouveau plongés dans le noir. Max s'écria alors :

— Ici, je la vois !

— Ce ne sont pas des lumières, dit Steve d'une voix tremblante, mais des yeux d'araignées !

Effectivement, il y avait des arachnides tout le long du mur. Max s'élança pour en frapper une de son épée. L'araignée mourut sur le coup et sa frappe puissante délogea un bloc de pierre. Un rai de lumière illumina la salle.

Alors que Max se retournait vers ses amis, il aperçut un zombie surgissant derrière eux

— Attention ! leur cria-t-il.

Steve dégaina son arme et terrassa la créature.

— Il y en a d'autres ! s'exclama Lucy.

Quatre zombies venaient d'apparaître, émergeant des sombres recoins du donjon, rejoints par une cohorte d'araignées dont les yeux luisants illuminaient la salle. Le rayon de lumière provenant de l'ouverture n'était pas suffisant pour repousser les créatures ni aider les chasseurs de trésors à se repérer dans le noir.

— Nous sommes coincés, gémit Lucy en éliminant une énième araignée.

Steve chargea les zombies tandis que Max essayait d'abattre les arachnides qui leur sautaient dessus depuis le plafond. Une araignée lui bondit dessus, mais il la repoussa d'un coup de poing avant de l'achever de son épée.

Peu importe le nombre de créatures qu'ils arrivaient à détruire, leur groupe ne parvenait pas à repousser la horde qui les encerclait.

Lucy frappa une araignée de toutes ses forces, délogeant un nouveau bloc de la paroi du donjon. De la lave commença à s'écouler du trou. Elle donna un nouveau coup sur la paroi et le flot de magma augmenta aussitôt. Henry rejoignit son amie pour s'attaquer à la roche à coups de pioche.

— Pourquoi perdez-vous du temps à briser le mur ? demanda Steve.

Il était agacé d'avoir à affronter seul une horde de zombies, mais il aperçut alors le torrent de lave qui s'écoulait de la fissure.

— Nous devons remplir cette salle de lave, expliqua Henry. Quant à vous, utilisez vos pioches pour agrandir le trou dans le mur, là où passe la lumière du jour !

Tandis que Max et Steve s'attelaient à creuser un tunnel de sortie, Lucy et Henry firent couler un torrent de magma dans les couloirs du donjon, avant de partir en courant rejoindre leurs amis. La rivière de lave en fusion les talonnait tandis qu'ils accéléraient l'allure pour éviter de finir brûlés vifs.

Ils ont réussi ! se dit Steve.

Il prit un instant pour regarder les araignées aux yeux rouges se faire engloutir par le flot de lave orangée qui se déversait dans les méandres souterrains, noyant dans les flammes les terribles créatures de la nuit.

Les chasseurs remontèrent jusqu'à la salle du trésor. Une fois arrivé, Henry se précipita vers le bloc de laine bleu et ramassa le TNT.

— Que comptes-tu faire avec cela ? demanda Steve d'un ton interloqué.

— À ton avis ? Je vais faire sauter cet endroit ! Il est envahi de monstres et il n'y a même pas de trésors.

Ils remontèrent les marches de grès, franchirent les grandes portes et s'échappèrent du temple. Une fois à l'extérieur, Henry plaça le TNT à côté d'une torche de redstone. Alors qu'ils s'enfuyaient à travers les dunes de sable, le temple explosa derrière eux. « Boum ! » L'édifice partit en flammes. Un grand nuage de poussière s'éleva dans les airs tandis que des débris voltigeaient partout autour d'eux. Le petit groupe s'abrita tant bien que mal tout en contemplant les derniers instants du temple. Bientôt, il ne resta plus que des vestiges de l'ancienne cache aux trésors, perdue au milieu du désert de Minecraft.

7

Cavernes, tempêtes et autres menaces

Entre leur fuite éperdue et l'explosion du temple, Steve devait bien admettre qu'il avait trouvé l'expérience exaltante. Néanmoins, il restait convaincu que ce n'était pas son genre de vie. Il mourait d'envie de retrouver son village et, pour cela, il lui fallait mettre la main sur les diamants au plus vite.

—Nous devons quitter le désert, annonça Steve.

—Nous sommes des chasseurs de trésors, lui répondirent ses nouveaux amis. Le désert est notre foyer.

— Voyons, il est impossible de vivre ici, protesta Steve.

— Tu verras, on s'y fait, répondit Lucy en lui tapotant l'épaule.

— Je croyais que tu voulais venir vivre avec moi à la ferme, s'étonna Steve.

— Nous aimerions y faire un saut, mais nous préférons avant tout chercher des trésors.

Steve aimait bien ses nouveaux amis, mais sa maison lui manquait. Il allait devoir prendre une décision douloureuse : rester avec eux ou rentrer chez lui. Tandis qu'ils avançaient dans le désert, ils aperçurent de la verdure au loin.

— Regarde, Steve, dit Henry, on dirait bien que ton vœu est exaucé, le désert se termine ici.

— Je vois une prairie, répondit celui-ci en pointant du doigt l'étendue d'herbe.

— Regardez, une caverne ! s'exclama Max d'un ton enthousiaste. Allons miner !

— Nous n'avons pas assez de nourriture, lui dit Steve. Pour ce genre de travail, il faut prévoir à manger, un seau d'eau et des pioches.

Où en est votre barre de faim ? Moi, je suis affamé.

Effectivement, le niveau de sa barre était dangereusement bas. Il devait absolument retourner à sa ferme.

— Lucy est une bonne chasseuse. Elle pourra nous attraper tout ce que tu veux, répondit Henry.

— Je vais nous trouver un cochon, dit-elle. Garde le moral, Steve. Je te promets que tu rentreras chez toi avec une épée de diamant.

Repérant des bêtes évoluant au milieu des herbes, Lucy sortit son arc et ses flèches et abattit aussitôt un cochon.

— À table ! annonça-t-elle à ses amis.

— Merci, dit Steve en voyant avec soulagement sa barre de faim remonter.

— Fais-nous confiance, lui dit Henry en montrant du doigt la caverne. Nous devons aller miner. Je t'assure qu'on va bien s'amuser. Regarde dans ton inventaire, n'hésite pas à utiliser ton équipement.

—On dirait que tu es un collectionneur, s'esclaffa Max.

—Un quoi ? demanda Steve.

—Tu gardes tout de côté sans jamais rien utiliser. Tu as un nombre de pioches ahurissant, sans compter ces superbes épées.

—La dernière fois que j'ai utilisé mon armure, je l'ai fait tomber et un zombie s'en est emparé. Voilà comment je me suis retrouvé dans le pétrin.

—Oui, je me doute que ça t'a refroidi, admit Henry, mais vois la vie du bon côté : si tu n'avais pas perdu cette armure et franchi ce portail, tu ne nous aurais jamais rencontrés. Et si tu veux trouver des diamants, tu vas devoir miner dans une caverne, près de la lave.

—Ouais, la lave et les diamants vont généralement de pair, ajouta Lucy.

—Mais je peux me faire tuer, répondit Steve.

—Tu veux vraiment battre les zombies et sauver ton village ? demanda Henry

—Bien sûr que oui ! répliqua-t-il en saisissant sa pioche.

Il fit de son mieux pour cacher la peur que lui inspirait cette première expédition dans une caverne.

—Tu vas y arriver, je t'assure. Il te suffit de rester à nos côtés.

—Allons dénicher des diamants dans la caverne ! s'exclama Lucy d'un ton enjoué.

La grotte était plongée dans l'obscurité, mais c'était moins effrayant que Steve ne le craignait. Leur petite troupe commença à creuser dans l'espace confiné de la caverne. Steve n'entendait aucune créature hostile et il commença à se détendre et à profiter de cette aventure.

—Vous avez entendu ? demanda Lucy.

—On dirait de l'eau, répondit Max en frappant le sol de pierre de sa pioche.

—Ça pourrait aussi être de la lave, dit Henry.

—Les diamants ! s'exclama Steve en redoublant d'ardeur.

Peu à peu, ils récoltaient du charbon, du fer et de l'or.

— Ne nous emballons pas, dit Henry avant de s'écrier : attention !

Une araignée bleue venait de passer par un trou de la paroi. Il fallait tuer cette créature au plus vite, car sa morsure était empoisonnée.

— Nous devons casser le générateur, dit Max à la cantonade. C'est la seule manière de les arrêter.

La caverne était envahie de toiles à cet endroit et les parois grouillaient d'araignées.

— Aïe ! gémit Henry.

— Henry a été mordu ! s'écria Lucy.

— J'ai du lait dans mon inventaire, annonça Steve en s'élançant vers le blessé. Tiens, avale ça, tu vas te sentir mieux.

Henry but le lait qui contra immédiatement les effets du poison. Sa barre de santé se régénéra.

— Dire qu'on se moquait de ta collection d'objets, dit Lucy en souriant. Si tu n'avais pas eu ce lait, Henry aurait pu…

Elle ne termina pas sa phrase. Si leur ami était mort, il serait retourné à son point d'apparition, sans espoir de retrouver le groupe.

— Nous devons arrêter les araignées, déclara Henry d'un ton faible en sirotant son lait.

— Tu as eu de la chance que Steve ait de quoi te soigner, lui dit Max en essayant d'écraser une créature.

— Maintiens la pression pendant six secondes, lui dit Henry, ou bien l'araignée ne mourra pas. Ces bestioles sont coriaces.

— Prends plutôt une torche, Max, proposa Lucy. Elles ont horreur de la lumière.

— J'en ai une dans mon inventaire, s'exclama Steve.

— Tu as vraiment tout ce qu'il faut sous la main ! s'exclama-t-elle.

Steve traversa la grotte, une torche à la main, et l'accrocha au mur. La lueur révéla une multitude d'araignées dont les rangs grossissaient de minute en minute. Max ramassa une poignée de gravier et la jeta sur les créatures, détruisant tout un groupe à ses pieds.

Pendant ce temps, Steve commença à bâtir un mur.

—Ce n'est pas le moment de faire de la construction, dit Henry d'un ton faible.

—Je ne construis pas, je nous sauve la vie! répondit Steve en sortant d'autres blocs. Max, rapproche-toi de moi et amène Henry avec toi.

Le petit groupe se rassembla autour de Steve qui terminait de bâtir son mur, emprisonnant les araignées derrière. Ils purent alors s'enfuir de la caverne.

—Steve, tu nous as sauvés. Tu es un vrai maître bâtisseur.

—Et moi, je suis la reine de la chasse, ajouta Lucy.

—Moi, je suis le maître de l'épée, se vanta Max.

—Et moi, alors? s'esclaffa Henry.

—Tu es le roi des vandales, répondit Max, ce qui lui valut un regard noir de son ami.

— Hein ? s'étonna Steve.

— Ce n'est rien, il plaisantait, répliqua Henry.

— Tout le monde sait que tu es un chasseur de trésors émérite, lui dit Lucy. Tu trouves toujours les meilleures stratégies pour dénicher du butin.

— Oui, c'est tout à fait vrai, se rengorgea Henry, qui bomba le torse comme à une remise de prix. Je suis le roi des chasseurs de trésors.

— Et l'ami des araignées, ajouta Max en souriant.

— Ce n'est pas drôle, répondit son ami en le bousculant gentiment.

Lucy adressa un grand sourire à leur petite troupe.

— C'est chouette que nous ayons tous un rôle à jouer.

— Nous formons une sacrée équipe tous ensemble, ajouta Henry.

Soudain, Steve entendit siffler une flèche au-dessus de sa tête.

— Sauf si nous mourons tous !

— Des squelettes ! s'écria Max alors qu'une nouvelle bataille s'engageait.

8

Les squelettes

Dans une cacophonie de cliquetis d'os, une horde de squelettes se ruait sur eux tout en décochant une volée de flèches depuis une colline voisine. Un des monstres atterrit auprès d'eux et Max se jeta sur lui, l'épée au poing. Son coup puissant décapita le squelette, attirant l'attention de ses congénères hargneux qui accélérèrent leur cadence de tir.

Une flèche siffla, projetant Henry au sol.

— Tu es blessé ? s'inquiéta Lucy.

— J'ai été touché au bras, dit-il en se relevant, avant de décocher une flèche à son tour. J'ai mal, mais ça ira.

La barre de santé de Henry était déjà amoindrie par la morsure de l'araignée et cette blessure n'arrangeait rien.

Steve renversa deux squelettes à coups d'épée. Trois autres créatures l'encerclèrent. Il en frappa une de son arme, mais les deux autres le tenaient dans leur ligne de mire.

C'est la fin, se dit-il.

Après toutes ces batailles, il allait mourir et réapparaître dans son village, incapable d'aider les habitants. Le cœur lourd, il s'apprêtait à baisser les bras lorsque Lucy et Max surgirent derrière les squelettes et les tuèrent à coups d'épée.

— Il y en a beaucoup trop, dit Lucy en regardant la multitude d'adversaires qui s'approchait.

La nuit commençait à tomber. Les yeux noirs des squelettes étaient à peine visibles dans la pénombre.

— Il faut trouver un abri, déclara Steve.

Au même moment, un monstre le frappa par-derrière, le jetant au sol. Steve se releva à temps pour le frapper.

Au milieu de la masse de squelettes, deux paires d'yeux brillants venaient de s'allumer.

— Des Endermen, s'écria Lucy. Ne les regarde pas, Steve.

Trop tard ! Les créatures avaient été provoquées. Ils se téléportèrent au milieu de la mêlée.

— Il y a de l'eau, plus bas, dit Lucy en dévalant la pente pour échapper aux squelettes. Nous devons sauter dedans et nager.

— Remplis un seau d'eau, lui cria Henry.

— J'en ai un dans mon inventaire ! s'exclama Steve, mais trop tard.

Lucy était encerclée. Deux Endermen s'étaient téléportés autour d'elle.

— Je ne peux rien faire, cria-t-elle.

Un squelette avait acculé Steve. Max s'en débarrassa d'un coup d'épée dans le crâne, sauvant la vie de son ami. Hélas ! six autres créatures se joignirent au combat. Les quatre aventuriers étaient affaiblis, leurs barres de santé et de nourriture au plus bas, et cette bataille menaçait de tourner au désastre.

— Au secours ! hurla Lucy à ses compagnons.

Elle était encerclée par les Endermen. Steve la vit repousser les monstres à coups d'épée, sans parvenir à les blesser, avant de sauter à l'eau. Les deux Endermen s'élancèrent à sa suite et périrent en plongeant dans l'eau mortelle pour eux.

Tandis que Lucy émergeait, d'autres yeux violets apparurent au loin : de nouveaux Endermen approchaient.

— Ça n'en finit pas, dit-elle en replongeant.

Les nouveaux venus la poursuivirent jusque dans l'eau, subissant le même sort que leurs congénères.

Tout à coup, un creeper qui rôdait dans les ténèbres s'approcha de Max.

— Max, attention ! cria Lucy qui nageait encore. Voilà un creeper !

— Il y en a un derrière toi aussi ! lui dit Henry alors que son amie remontait sur la berge.

Ces monstres verts avaient le don de se faufiler discrètement derrière les joueurs avant de lancer leur attaque explosive et suicidaire.

Lucy courut aussi vite que possible en direction de Steve, Henry et Max. Dégainant son épée, elle s'attaqua aux squelettes qui affrontaient ses amis. Les monstres se jetèrent sur leur groupe, mais ils redoublèrent d'ardeur pour les combattre, transperçant leurs membres osseux à coups d'épée.

— Si seulement nous avions une puissante épée de diamant, ce combat serait déjà réglé, dit Steve en frappant un squelette.

— Vous avez entendu ? demanda Lucy.

Un bruit de mèche allumée émanait des creepers. L'un d'eux était sur le point d'exploser ! Le groupe partit en courant alors que les créatures vertes s'approchaient. « Boum ! » Les creepers détonèrent en désintégrant les squelettes à proximité, qui lâchèrent trois disques de musique à leur mort. Steve les ramassa tandis que Lucy et Steve combattaient les squelettes survivants.

— Lorsque nous aurons trouvé des diamants, nous en utiliserons pour fabriquer un juke-box. Quand nous rentrerons chez moi, nous pourrons organiser une grande fête pour fêter notre victoire.

Ses amis approuvèrent en souriant, mais leur joie fut de courte durée : une flèche siffla à leurs oreilles !

— D'autres squelettes !

Ils poussèrent tous un cri de désespoir en voyant également des Endermen approcher.

— Comment allons-nous faire pour nous sortir de là ? demanda Steve.

Il serrait bien fort les disques de musique dans son poing, pour que les autres ne se rendent pas compte qu'il tremblait de peur.

Soudain, une détonation retentit dans la nuit : un coup de tonnerre. La pluie commença à tomber, forçant les Endermen à battre en retraite. Max, le meilleur guerrier de leur groupe, parvint alors à éliminer les derniers squelettes. Le son de la pluie frappant les blocs autour d'eux eut le don d'apaiser leurs nerfs mis à rude épreuve par la bataille.

—Nous ferions mieux de trouver un abri, déclara Steve, tout dégoulinant d'eau.

—Regardez-moi cette pile d'ossements, dit Max d'un ton fier. Nous avons peut-être livré un rude combat, mais nous avons remporté énormément d'expérience et ces os se révéleront utiles.

—J'espère que nous n'allons pas tomber sur des loups, dit Lucy.

—Au contraire, nous pourrons les apprivoiser, à présent, dit Max en brandissant un os.

—Les loups font peur aux Endermen, ajouta Steve.

Un poulet passa auprès d'eux et Lucy l'abattit d'une flèche avant de déclarer :

—Il faut remplir nos barres de faim.

La pluie s'arrêta et le groupe s'assit pour manger. Ils essayèrent de se détendre, tout en restant aux aguets d'une quelconque menace.

— Nous devons trouver des diamants, dit Steve.

— Il faudrait peut-être cesser d'en chercher, rétorqua Henry en mangeant son poulet, tandis que ses barres de vie et de faim se remplissaient.

— Je dois sauver mon village. Je suis leur seul espoir, répondit Steve d'un ton rageur.

— Ce n'est pas grave si tu ne retournes pas chez toi. Chasser des trésors est bien plus amusant, objecta Henry.

— Et notre fête, alors ? demanda Steve en brandissant les disques.

— Ce serait amusant aussi, mais je préfère les trésors.

— Je pensais que vous alliez m'aider à trouver les diamants, dit Steve au reste du groupe. Je croyais que vous vouliez partager cette aventure avec moi.

Il avait enfin trouvé des amis avec qui il se sentait bien, et voilà qu'il allait devoir les quitter.

— C'est vrai mais, honnêtement, l'épée de diamant n'a pas beaucoup d'importance à nos yeux.

— Vous êtes d'accord avec lui, vous autres ? demanda Steve à Max et Lucy. L'épée de diamant est la plus puissante de toutes. Vous en avez déjà une ?

Ils restèrent silencieux. Eux aussi mouraient d'envie de posséder une telle arme. Ils ne savaient pas quoi répondre.

— J'y vais seul, alors, annonça Steve. Je vais miner des diamants et forger cette épée, puis j'utiliserai une table d'enchantement pour la rendre encore plus forte !

Steve commença à s'éloigner des trois autres, qui étaient assis au milieu des piles d'ossements.

— Tu veux prendre des os, Steve ? lui demanda Lucy.

— Steve, reviens, supplia Max. Je t'aiderai à trouver les diamants.

— Vraiment ? répondit-il en se retournant.

— Oui. J'ai toujours rêvé d'avoir une superépée de diamant. Je n'en ai encore jamais eu. Et je n'ai jamais fait de fête non plus.

— Ah bon ? s'exclama Steve.

— Oui. Et je veux cette arme. Peu importe ce qu'en dit Henry. Je crois qu'il a peur que nous ne trouvions pas les diamants pour faire les épées.

— Ce n'est pas vrai ! s'écria Henry d'un ton rageur.

— Dans ce cas, pourquoi faire tant de difficultés ? demanda Lucy avec un air agacé.

— Je pourrais très bien trouver les diamants sans vous, leur dit Henry, mais j'ai peur que vous n'arriviez à rien sans moi. Ce serait dommage.

Ses amis n'objectèrent pas. Ils avaient compris que Henry était contrarié car il avait commis une erreur.

— Viens avec nous, dit Steve.

— Excusez-moi, je me suis trompé, leur dit Henry, la tête basse. Je vais vous aider. Ce n'est pas tous les jours qu'on tombe sur quelqu'un qui cherche à aider des villageois.

— Moi, je veux voir ta ferme et danser sur la musique de tes disques, déclara Lucy.

Leur petit groupe partit donc en quête de diamants fabuleux. Alors que le soleil commençait à se lever, ils entendirent des aboiements au loin.

— Je crois que ces os vont nous être utiles, dit Max.

9

Comment apprivoiser un loup

Armé de pioches, leur petit groupe commença à miner à la recherche de diamants. Ils sculptèrent des marches pour descendre dans les profondeurs de l'Overworld. Les parois qui les entouraient étaient formées de couches de blocs multicolores. Ils avançaient avec précaution et, plus ils descendaient, plus Steve avait espoir de trouver des diamants. Il savait qu'on ne pouvait en trouver que très loin sous la surface. Il avait même entendu parler de gens creusant au-delà de la seizième couche avant d'en découvrir.

— Je crois que j'ai trouvé quelque chose, s'écria Lucy en perçant une paroi à l'aide de sa pioche.

Steve accourut aussitôt, espérant voir l'éclat bleuté d'un diamant, mais ce n'était que du gravier.

— Faites bien attention au gravier, dit Max à la cantonade. Cela peut nous tomber dessus. Essayons de creuser un puits de mine, ça nous aidera.

Henry plaça une torche au mur afin d'éclairer leurs travaux d'aménagement du tunnel.

— Il faut creuser très profond pour trouver des diamants, expliqua Henry.

— J'ai l'impression que ce sera impossible d'en trouver quarante, dit Lucy d'un ton découragé.

Steve frappait de toutes ses forces pour creuser les murs. À chaque coup, il prenait garde de vérifier qu'il n'y avait pas de lave de l'autre côté de la paroi. Un flot de magma pouvait facilement envahir la pièce et les tuer tous en quelques instants.

Une bourrasque froide balaya le groupe alors qu'ils émergeaient dans un champ de poudre blanche.

— Qu'est-ce que c'est ? demanda Steve en frissonnant, à demi aveuglé par l'étendue infinie de blancheur.

— De la neige ! s'écria Henry avec un grand sourire. Nous sommes dans un biome arctique.

— J'adore ça, s'exclama Lucy en courant dans la poudreuse avant de lancer quelques boules de neige en l'air. Cela faisait une éternité que je n'étais pas allée dans un biome gelé. J'avais oublié à quel point c'est amusant.

— Fabriquons un bonhomme de neige ! suggéra Max.

— Ah bon, on peut faire ça ? lui demanda timidement Steve.

— On peut faire tout ce qu'on veut, répondit-il. Même bâtir un igloo !

Steve trouvait étrange la sensation d'air froid dans ses poumons. Il n'était encore jamais allé dans un environnement aussi glacial et il aurait aimé avoir un bon manteau sur les épaules. Il se retint d'en parler à ses amis, mais il trouvait cela bizarre qu'ils s'amusent autant.

— Viens nous rejoindre ! lui lança Lucy. Ça fait drôle au début, mais on s'y fait vite et c'est très amusant !

On aurait dit qu'elle avait lu dans ses pensées.

Allait-il vraiment s'habituer à ce temps glacial ? Tout en regardant ses amis s'ébattre dans la neige, il se dit que Lucy avait sans doute raison. Il devait profiter de ce biome pour se détendre un peu.

Steve ramassa un peu de neige. Alors qu'il aidait ses amis à façonner un bonhomme de neige, il entendit un bruit de respiration rauque.

— Qu'est-ce que c'est ? demanda-t-il.

Les autres n'avaient rien entendu et continuaient de jouer joyeusement avec la neige.

— Je suis la princesse des neiges, déclara Lucy en dansant autour de Max et Henry, qui travaillaient dur sur le bonhomme de neige.

— Dommage qu'on ne soit pas chez toi, dit Henry, on aurait pu utiliser une carotte pour faire son nez.

— C'est vrai ! approuva Max. Je me demande ce qu'on va pouvoir utiliser pour ses yeux.

Cependant, Steve ne leur prêtait plus attention. Il entendait des sortes de halètements au loin, comme provenant d'un groupe d'animaux. La peur au ventre, il s'adressa à ses amis :

— J'ai entendu quelque chose respirer.

Personne ne l'écoutait. Max monta en courant une petite colline couverte de neige.

— J'aperçois quelque chose ! leur cria-t-il.

— Je te l'avais dit ! lui répondit Steve.

— C'est une rivière gelée. Je suis sûr qu'on pourrait y faire des glissades.

— Mais il y a un halètement ! cria Steve. Personne n'a entendu ?

— Des glissades ? Chouette ! s'exclama Lucy, j'adore le patin à glace !

Soudain, une meute de loups émergea de derrière des arbres enneigés. Leurs yeux noirs ressortaient clairement sur leur fourrure blanche, qui les camouflait aisément dans ce paysage couvert de neige.

— Je vous avais bien dit que j'avais entendu quelque chose ! cria Steve alors que la meute se ruait vers leur groupe.

— Sortez vos armes, ordonna Henry.

Il dégaina son épée et la troupe de loups détala aussitôt, laissant des empreintes de pas sur la neige.

— Bien joué, Henry ! lui dit Lucy en lui jetant gentiment une boule de neige. Tu leur as fait peur !

Cependant, l'un des loups était resté en arrière. Il s'approcha de Steve en grondant, ses canines acérées brillant au milieu du paysage enneigé.

— J'ai un os, annonça Steve alors que ses trois amis préparaient des boules de neige pour chasser le loup hostile.

L'animal s'approcha lentement pour examiner l'os que lui tendait Steve. Il promena son museau dessus avant d'accepter l'offrande et de se rouler joyeusement par terre. Un collier rouge apparut autour de son cou.

— Il est apprivoisé ! s'exclama Max.

— Tu as un animal familier, maintenant, dit Lucy en s'approchant pour caresser le loup, désormais aussi docile qu'un chien.

— Créons une enclume et fabriquons-lui une étiquette pour son collier, suggéra Henry en rejoignant Max et Lucy autour de l'animal.

Le loup s'ébroua pour chasser la neige de sa fourrure puis il contempla son maître. Il allait rester fidèle à Steve pour tout le reste de son existence dans Minecraft. Les loups avaient la capacité de se téléporter pour protéger leur maître en cas de besoin. Leur loyauté durait toute la vie.

Steve utilisa l'enclume pour nommer le loup.

— Je vais t'appeler Rufus, dit-il à son animal. J'ai depuis longtemps un ocelot apprivoisé qui s'appelle Calinou. Il faudra bien t'entendre avec lui.

Le loup donna un gentil coup de museau à Steve. Pendant que le reste du groupe s'activait sur le bonhomme de neige et l'igloo, il se détendit avec son nouvel animal familier. Il essaya de lui apprendre à s'asseoir et lui parla des aventures qu'ils allaient vivre ensemble.

— Il t'aime bien ! lui dit Lucy en souriant.

Rufus courut jusqu'au bonhomme de neige que Max et Henry venaient d'achever.

— Alors, c'est amusant la neige, non ? demanda-t-elle à Steve.

— Oui, admit-il.

— Tu n'aimerais pas rester ici un moment ? demanda Max.

— Nous devons chercher les diamants et sauver les villageois, leur rappela gentiment Steve.

Ils acquiescèrent. La récréation leur avait fait du bien, mais ils avaient promis d'aller au bout de leur mission.

Rufus suivait Steve comme son ombre alors que le groupe creusait à travers la couche glacée du biome, à la recherche d'un puits de mine abandonné rempli de diamants.

Steve jeta un dernier coup d'œil au monde enneigé. Il y régnait une atmosphère magique, où la neige tombait doucement à gros flocons.

— C'est beau, n'est-ce pas ? lui dit Lucy avant de reprendre le travail.

Peu à peu, ils avancèrent à coups de pioche dans la surface afin de réaliser le rêve de Steve.

10

La chasse aux sorcières

Les mines sous les étendues enneigées se révélèrent vides. Steve commençait à perdre espoir, mais son loup, Rufus, semblait tout content de l'aventure.

— Nous trouverons des diamants, le rassura Lucy tandis qu'ils remontaient à la surface.

Ils traversèrent la dernière couche, laissant passer un rayon de soleil et un souffle d'air humide qui collait à la peau.

Steve émergea du trou et tomba aussitôt dans un fossé plein d'eau marécageuse.

— Beurk ! s'exclama-t-il en vidant la boue de sa botte.

— C'est un marais, expliqua Max en contemplant l'étendue d'eau couverte de nénuphars.

Rufus s'avança vers la mare pour s'y abreuver.

L'eau était bleu sombre et le ciel avait des teintes pourpres. La nuit n'allait pas tarder à tomber et la lune commençait à grimper à l'horizon. Au milieu du marais, des plants de canne à sucre côtoyaient des arbres couverts de lierre. Steve n'avait jamais contemplé un spectacle aussi enchanteur et effrayant à la fois.

— Regardez-moi donc cette eau verdâtre, c'est dégoûtant, dit-il en montrant une mare de liquide pollué.

— Ce n'est pas de l'eau, s'écria Max, ce sont des slimes !

Les gros blocs gélatineux s'approchèrent du groupe. Henry sortit son arc et choisit une cible. Sa flèche fit exploser le slime dans toutes les directions. Ils s'abritèrent tant bien que mal pour éviter les projections.

Henry attrapa du lierre et leur dit :

— On peut créer une échelle pour échapper aux slimes.

Max empila des blocs derrière eux pour amortir leur chute tandis que la petite troupe grimpait au-dessus du marais.

— La lune grossit dans le ciel, constata Lucy.

— Ou bien on s'en approche de trop, dit Max.

— Non, c'est la pleine lune ce soir, dit Henry d'une voix tremblante de peur. Ce qui signifie qu'il y a des sorcières !

— Des sorcières ? dit Steve.

Il en avait assez. Il venait tout juste d'échapper à des slimes, et voilà qu'ils devaient prendre garde à un nouvel ennemi.

— Je vais..., commença Henry avant de pousser un cri.

Ayant malencontreusement lâché l'échelle de lierre, il était tombé dans le vide. Les blocs avaient amorti sa chute, mais il n'avait pas moyen de remonter et dut se résigner à rester au sol.

— Nous devons l'aider, dit Steve en descendant à son tour.

Il se retrouva rapidement entouré par trois slimes.

Lucy, qui descendait l'échelle de lierre, visa soigneusement une des créatures et l'abattit. Steve recula prestement pour éviter d'être aspergé de liquide gluant. Soudain, un minislime lui sauta dessus, lui faisant perdre un peu de santé. Il envoya valdinguer la créature d'un coup de poing.

Max sauta de l'échelle et plongea sur les créatures, l'épée en avant. Des giclées verdâtres accompagnèrent son atterrissage.

Pendant ce temps, Steve courut rejoindre Henry.

— Ça va ?

— Oui, mais regarde derrière toi ! C'est une cabane de sorcière.

La bâtisse brune s'élevait sur un monticule de terre marécageuse. Au-dessus, la pleine lune poursuivait sa course, éclairant le ciel nocturne au milieu du scintillement des étoiles. Une petite bonne femme ouvrit la porte de la cabane. Elle était en train de boire une potion.

— Une sorcière ! s'écria Lucy. Fais attention, Steve, elle boit une potion de vitesse. Nous devons agir vite.

Steve attrapa Henry par les bras et l'entraîna loin du danger. Rufus suivit son maître en aboyant, mais le loup était impuissant face à une sorcière.

Celle-ci s'était élancée à la poursuite des chasseurs de trésors. Elle ne les quittait pas du regard et ses yeux couleur lavande s'obscurcirent lorsqu'elle avala de nouvelles potions infâmes. Sa robe violette et son chapeau de sorcière voletaient tandis qu'elle fonçait sur eux.

Steve jeta un coup d'œil par-dessus son épaule. La sorcière au visage méchant avait des pustules et un gros nez. Son corps dégageait une aura pourpre. Elle lança une potion sur le groupe, et Steve et ses amis commencèrent aussitôt à ralentir.

— Elle nous a eus ! cria Henry.

— C'est une potion de faiblesse, expliqua Max.

La sorcière était en train de changer de couleur. La brume violette qui l'entourait s'obscurcissait encore alors qu'elle buvait d'autres breuvages.

— Elle va nous jeter d'autres potions dessus, les avertit Lucy. J'en ai moi aussi, ça devrait nous aider. (Elle sortit une potion de force de son inventaire.) Voilà qui fera l'affaire.

Max courut vers la sorcière et lui assena un coup d'épée. Elle lui jeta une fiole au visage et une goutte de liquide toucha sa peau.

— C'est du poison, s'écria Max en reculant, l'air faible et maladif, sa barre de santé devenue soudainement verte.

— Que pouvons-nous faire pour l'aider ? demanda Steve.

— Le poison ne durera pas longtemps, répondit Lucy, mais il faut qu'il prenne du repos. Nous devons partir d'ici pour qu'il récupère des forces.

Pendant ce temps, Henry combattait la sorcière. Celle-ci venait de sauter pour esquiver un coup d'épée. Si Max était le roi du combat, son ami ne lui arrivait pas à la cheville. Steve rejoignit Henry et frappa leur adversaire, mais la sorcière en sortit indemne. Elle but une nouvelle potion qui la rendit encore plus forte. Elle saisit alors une fiole pour la jeter sur les deux compagnons.

Henry agrippa Steve et l'entraîna vers l'échelle de lierre. Lucy s'élança et réussit à éliminer la sorcière d'une flèche bien placée.

— Bien joué ! l'acclama Henry.

Les deux amis remontèrent le lierre pour rejoindre leur ami Max.

— Où pouvons-nous l'emmener ? demanda Henry.

Steve s'arrêta pour ramasser une potion de faiblesse tombée au sol. Elle lui serait utile pour guérir Eliot le forgeron. Il contempla ensuite l'étendue d'eau noire à l'horizon.

— Il nous faut des bateaux, suggéra-t-il.

Le groupe rassembla des planches de leur inventaire et se mit à fabriquer quatre petites embarcations.

— Tu as assez d'énergie pour monter en bateau ? demanda Lucy.

Max hocha la tête. Il était affaibli, mais ils devaient à tout prix s'échapper de ce marais infesté de sorcières.

— Surtout, ouvrez l'œil, dit Henry alors qu'ils terminaient leur ouvrage.

Max crut voir une silhouette traverser l'étendue marécageuse.

— Une sorcière se dirige vers nous, dit-il au reste du groupe. Elle a dû prendre une potion de vitesse. Elle avance à toute allure.

Lucy se précipita pour l'intercepter, mais elle reçut en retour une potion de lenteur qui ralentit tous ses mouvements. Au même instant, un squelette émergea de l'obscurité.

— Des squelettes et des sorcières. On se croirait à Halloween, dit Henry en s'élançant au secours de Lucy.

Il sortit son arc et décocha une flèche qui abattit la sorcière. Une fiole de verre tomba de ses mains et il s'empressa de la ramasser.

— À défaut de bonbons, voilà une belle bouteille, dit-il en souriant avant de bondir sur le squelette et de l'éliminer d'un seul coup.

Il ramassa l'os tombé au sol.

— La récolte est bonne, ce soir ! s'exclama-t-il en le montrant au groupe.

— Montons dans les bateaux, dit Lucy

Elle se dirigea vers les embarcations, tout en restant à l'affût d'ennemis rôdant dans ces terres marécageuses uniquement éclairées par la clarté lunaire.

Ils poussèrent les bateaux dans l'eau et quittèrent les étendues boueuses pour rejoindre les eaux calmes de la mer.

— Nous pouvons utiliser les étoiles pour nous guider, dit Max en indiquant l'étoile Polaire et Orion.

— Quel calme ! dit Steve, assis dans son bateau avec Rufus.

Il se sentait à l'abri des créatures et profitait du voyage. Même si sa ferme se trouvait en bordure de l'océan, c'était la première fois qu'il prenait le bateau.

— Tu pourrais devenir marin, plaisanta Henry.

Les quatre embarcations flottaient l'une à côté de l'autre. Steve se releva, faisant légèrement tanguer la barque.

— Je me demande si nous allons bientôt trouver la terre ferme.

La mer s'étendait à perte de vue. Soudain, son bateau heurta quelque chose dans un grand « crac ».

— Que s'est-il passé ? demanda-t-il en se penchant pour inspecter les dégâts.

L'embarcation de Max buta sur le même obstacle.

— Je crois qu'on s'est échoués ! dit-il.

— Non, c'est une pieuvre ! s'écria Henry en montrant la créature bleue dont les tentacules frétillaient près de la barque.

— Mon bateau coule ! cria Steve.

Avant que Lucy ou Henry n'aient pu les inviter à bord, ils entendirent deux nouveaux coups sourds.

— Nous sommes touchés ! cria Henry.

— Qu'est-ce qu'on va faire ? demanda Steve nerveusement.

— À ton avis ? répliqua Henry en sautant à l'eau. On va nager !

Toute la troupe sauta à l'eau. Rufus nageait au côté de Steve tandis qu'ils cherchaient désespérément la terre ferme dans cet univers aquatique. Ils eurent bientôt l'impression de nager depuis des heures. Max était épuisé. La potion de la sorcière avait sérieusement entamé ses forces. Alors qu'ils étaient à bout, ils aperçurent enfin la terre.

— Une île ! s'écria joyeusement Max.

Ils nagèrent jusqu'au rivage et se retrouvèrent sur un îlot abandonné. Lucy repéra alors un poulet et sortit son arc pour chasser.

— Il faut se nourrir, déclara-t-elle ensuite en leur offrant à manger.

Le soleil se levait à l'horizon et Steve fit le tour de l'île pour repérer des ressources.

— Regardez ces œufs, dit-il en s'agenouillant.

— Ce sont des œufs de poissons d'argent. C'est mortel, l'informa Henry.

Steve dégaina immédiatement son épée et commença à les détruire avant même que Max n'ait pu crier « Stop ! ».

L'éclosion des œufs donna immédiatement naissance aux poissons d'argent.

— C'est un vandale qui les a mis là. Ils font cela afin que les gens qui n'y connaissent rien les détruisent pour tuer leur contenu, sans se douter que ça les fait apparaître, expliqua Henry.

— Construis un pilier, cria Max à Steve.

Celui-ci érigea rapidement un pilier de deux blocs de haut pour tout le groupe. Lucy sortit alors un peu de gravier et le balança sur les créatures pour les tuer.

— Cette île ne m'inspire pas confiance. J'ai peur qu'elle soit piégée par un vandale, dit Henry en sautant du pilier.

— Je parie que c'est pour nous empêcher de mettre la main sur un objet de valeur qui serait caché ici, suggéra Lucy.

Max examina les alentours et vit une caverne.

— Et moi, je parie que c'est ça qu'ils veulent nous empêcher de fouiller.

— La caverne ? dit Steve en s'approchant, Rufus à son côté.

— Je suis sûr que nous allons y trouver des diamants, dit Henry en s'y dirigeant.

Le groupe lui emboîta le pas. Steve sortit une pioche de son inventaire.

— C'est parti pour la chasse aux diamants, s'exclama-t-il en souriant.

11

Des diamants et de la lave

Pioches en main, ils creusèrent de plus en plus profondément.

Tout en travaillant, Steve repensa à Eliot, qui lui fournissait tous ses outils. Une de leurs dernières conversations s'était déroulée dans la forge, un jour où Steve voulait échanger des émeraudes contre une pioche en fer.

« Un jour, *j'aurai une pioche en diamant* », avait dit Steve.

« Il faudra que tu t'*en fasses une toi-même. Je n'ai rien d'aussi précieux dans ma boutique* », avait répliqué Eliot.

Si seulement son ami forgeron pouvait le voir aujourd'hui, en train de miner pour trouver des diamants et forger sa propre épée. Il n'en reviendrait pas de le voir vivre une telle aventure, alors que tout le monde le prenait pour un peureux. Évidemment, Steve ne savait pas s'il reverrait Eliot un jour, ou même s'il parviendrait à le guérir de sa zombification.

— Regardez ce que j'ai trouvé ! s'exclama Max.

C'était un puits de mine abandonné. Le groupe creusa un tunnel pour y pénétrer.

— C'est bon signe, s'exclama Lucy, j'ai déjà trouvé des diamants dans des mines.

Quelques instants plus tard, la lumière de leurs torches dévoila des reflets bleus sur un mur.

— Des diamants ! s'extasia Steve.

Alors qu'ils minaient leur trouvaille, un mur de pierre s'éleva autour d'eux, emprisonnant tout le groupe.

— Un vandale ! s'écria Henry.

— Il nous a piégés ! gémit Lucy. Pourquoi nous avoir fait cela ?

— Il veut récupérer les diamants lui aussi, dit Henry. Je vous avais dit que les poissons d'argent étaient un piège. Je pense qu'il ne s'attendait pas à ce qu'on aille si loin.

— Le vandale a dû nous voir arriver et il a placé les œufs pour nous piéger.

— Il nous faut ces diamants. Nous devons sauver les villageois ! s'écria Steve.

Max essaya de briser la paroi avec sa pioche, tout en disant à ses compagnons :

— Nous devons sortir d'ici. Il ne faut pas le laisser s'emparer des diamants.

Le groupe abattit le mur, mais il y en avait un deuxième juste derrière.

— Cela va nous prendre des heures ! gémit Lucy.

— Je suis certain que c'est le dernier mur. La mine n'est pas si grande que ça, répondit Henry.

— Le temps qu'on arrive de l'autre côté, le vandale aura déjà décampé avec les joyaux, s'exclama Steve.

Une fois le mur réduit en morceaux, ils se retrouvèrent nez à nez avec le vandale, qui portait un casque orange et tenait quatre diamants à la main.

— Tu as essayé de nous tuer avec des poissons d'argent ! l'accusa Max.

— Ce sont mes joyaux, dit le vandale en dégainant une épée de diamant qu'il brandit vers le groupe.

— Tu nous as emprisonnés ! s'écria Lucy, l'arme à la main, prête à en découdre.

— Lucy, attends, dit Henry. Il n'en vaut pas la peine. Je ne veux pas que tu te fasses blesser à cause d'un sale voleur.

— Ce sont mes diamants, dit le vandale.

Même s'ils craignaient tous de voir d'autres adversaires rappliquer, ce genre de vandale opérait généralement seul.

— Nous pourrions peut-être partager ? suggéra Steve.

— Partager ? s'esclaffa le vandale. Je ne partage jamais.

— Dans ce cas, nous allons devoir nous battre, déclara Henry en s'approchant de lui, l'arme à la main.

Steve aperçut les yeux rouges d'une araignée braqués sur lui. La créature s'approchait de leur groupe, arrivant dans le dos du vandale. Steve en profita pour bousculer celui-ci, l'envoyant valser contre l'araignée qui s'attaqua aussitôt à lui. Le vandale s'écroula au sol et Max élimina la bête d'un coup d'épée.

— L'araignée nous a sauvé la mise! s'exclama Lucy en récoltant autant de diamants que possible.

— Je n'aime pas les imbéciles, dit Max, mais j'aime bien tout ce qui brille.

— Je suis sûr qu'il y en a plus de quarante! s'écria Steve en arrachant les joyaux bleus de la paroi du puits de mine abandonné.

— Ne t'emballe pas, dit Henry en commençant à compter les diamants.

Les murs étaient truffés de blocs bleus et leur troupe se mit à creuser aussi rapidement que possible.

— Prenons garde, dit Henry, je crois que j'ai entendu de la lave couler derrière le mur.

Le groupe remplit leur inventaire tout en détachant les blocs avec précaution pour éviter de relâcher un torrent de magma.

— Nous allons pouvoir sauver les villageois, dit Steve d'un ton joyeux.

— Comment allons-nous faire pour rejoindre le village ? demanda Lucy.

— J'ai un portail dans le Nether qui nous conduira à proximité, expliqua Steve tout en piochant.

— Je ne suis jamais allée dans le Nether, s'écria Lucy, mais j'ai déjà entendu des histoires effrayantes à ce sujet.

— Je parie que vous ne pensiez pas qu'on trouverait autant de diamants, hein ? dit Steve d'un ton triomphant.

— Ensemble, rien n'est impossible ! ajouta Henry en regardant son inventaire d'un air satisfait avant de s'asseoir avec Steve pour compter son butin.

— Ne vous relâchez pas trop, les prévint Max. Ce n'est pas le moment de faire cela. Nous sommes toujours au fin fond d'une mine où tout peut arriver.

— On en a quarante ! s'exclama Steve. Exactement ce qu'il nous fallait !

Lucy détacha le dernier joyau du mur et leur dit :

— Max a raison, nous devons décamper d'ici. Elle avait à peine fini de parler qu'une araignée leur sauta dessus depuis le plafond du tunnel. D'un grand coup d'épée en or, Max élimina la créature.

— Une fois que nous aurons forgé les épées, dit-il, nous serons encore plus puissants.

— *Les* épées ? demanda Steve. Je croyais qu'on allait en faire une seule, afin que je puisse détruire les zombies.

— Une seule épée ? s'exclama Henry d'un ton outré. Voilà que tu réfléchis comme un vandale. Tu ne penses qu'à toi-même dans cette histoire.

Steve considéra les paroles de son ami. Il se demanda s'il valait mieux qu'ils possèdent chacun leur propre épée, afin de combattre en équipe, ou bien qu'il affronte seul les zombies avec une épée surpuissante. Tout en réfléchissant, il utilisa son établi pour fabriquer des pioches, qu'il distribua ensuite à ses amis.

— Tu veux bien que nous ayons des pioches en diamant, mais tu refuses de nous forger des épées ? lui demanda Lucy d'un ton perplexe.

— Avec les pioches, nous pourrons sortir d'ici plus rapidement, expliqua-t-il.

— Tu essaies juste de sauver ta peau, c'est ça ? demanda Steve, l'air très agacé.

— Nous n'avons même pas de table d'enchantement, intervint Henry. Impossible d'utiliser les diamants pour faire une épée super puissante.

Lucy éleva sa pioche devant ses yeux.

— Cet outil m'a l'air très efficace. Enfin, tu as raison, pour forger une épée surpuissante, il nous faut une table d'enchantement.

Steve savait que le groupe avait raison.

Je ne comprends pas ce qui m'a pris, se dit-il. *Pourquoi ce comportement égoïste ? Tous les membres du groupe ont le droit à une épée, surtout s'ils comptent m'aider à sauver mon village.*

— Nous discuterons de cela plus tard, conclut Lucy en commençant à creuser le mur du tunnel. Nous devons d'abord sortir d'ici.

— Je ne veux pas continuer avec Steve s'il se comporte comme un rapace.

— Je suis d'accord, approuva Henry. Tu peux prendre tes diamants, Steve, et partir de ton côté.

Steve regarda ses amis et changea aussitôt son plan :

— Fabriquons quatre épées avec dix diamants chacune. Je ne sais pas ce qui m'a pris. Je me suis comporté comme Henry.

Celui-ci lui jeta un regard mauvais avant de rétorquer :

— Écoute, ce n'est vraiment pas le moment de se disputer. Nous devons rester unis.

— Tu as raison. Je crois que je voulais jouer au héros et sauver mes villageois tout seul.

— Ce ne sont pas tes villageois, remarqua Lucy.

— Steve, attention ! s'écria Henry en l'attrapant par la manche.

Un torrent de lave orange s'écoulait à grande vitesse du trou qu'il venait de percer dans le mur.

12

Perdus dans le Nether

Dans une atmosphère saturée de particules violettes, Steve utilisa ses derniers blocs d'obsidienne pour créer un portail vers le Nether. Ils passèrent tous au travers juste avant que le flot de lave ne recouvre tout de leur côté.

— Regardez, une cascade de magma ! dit Lucy en montrant du doigt le torrent qui s'écoulait devant le portail. J'ai l'impression que le Nether est un endroit aussi beau que dangereux.

Steve était loin d'être un expert en quoi que ce soit, surtout comparé à ses amis chasseurs de trésors, mais il avait l'avantage d'avoir déjà visité le Nether. Il connaissait donc des astuces pour y survivre.

— C'est moins effrayant que ça n'en a l'air, dit-il à ses amis.

Il les mena sur un pont, en direction du portail qui les ramènerait dans l'Overworld et jusqu'à son village.

— Il fait si chaud ici, et tout est si rouge ! dit Lucy.

Elle s'arrêta un instant pour se pencher à la rambarde et contempler l'étendue rougeâtre de cette terre inconnue. Alors qu'ils avançaient sur le pont, elle aperçut une touffe de fleurs.

— Je ne savais pas que les fleurs pouvaient pousser dans le Nether, s'étonna Max.

— Elles sont splendides, dit-elle en se penchant pour les sentir.

— Attention ! s'écria Henry en dégainant son arc.

Il décocha une flèche sur un blaze qui les survolait. Une boule de feu descendit en sifflant pour s'écraser sur la fleur.

—Tu nous as sauvés ! dit Steve.

—Oui, mais les fleurs ont brûlé, dit Lucy d'un ton agacé.

—Chut ! dit Steve en mettant le doigt sur ses lèvres. Vous avez entendu ?

—Quoi ? demanda Henry.

—J'ai cru entendre quelqu'un parler.

—Je n'entends rien, dit Lucy en tendant l'oreille.

—Il faut faire attention à ce que personne ne nous vole les diamants, dit Steve d'un ton angoissé.

Et si quelqu'un nous avait vus récolter les diamants et nous avait suivis jusqu'ici ? pensa-t-il. *Et si le vandale avait des complices ?*

—Ça y est, j'ai entendu, dit Lucy en regardant tout autour d'elle, à la recherche de l'origine des voix.

—Là-bas, dit Max en indiquant deux silhouettes près d'une mare de lave.

—Cachez les diamants, ordonna Steve.

Les deux étrangers s'approchèrent du groupe. Ils avaient l'air très bizarres. Leur peau avait la couleur d'un arc-en-ciel et l'un d'eux tenait une boussole à la main.

—Nous sommes perdus, dit-il, pouvez-vous nous aider ?

—Les boussoles ne fonctionnent pas dans le Nether, répondit Steve, persuadé d'avoir affaire à deux malfaiteurs sur le point de les attaquer.

Il se souvint alors de la forteresse du Nether qui avait été pillée.

Ce sont peut-être ces deux-là qui ont pris tous les joyaux, se dit-il.

—D'où venez-vous ? leur demanda-t-il.

—Nous sommes de l'Overworld, répondit l'un des hommes arc-en-ciel. Nous nous sommes retrouvés ici après avoir emprunté un portail.

Rufus aboya en direction des nouveaux venus. Steve prit cela pour un avertissement. Comme le loup continuait d'aboyer, il posa la main sur la poignée de son épée.

—Attention ! cria le deuxième homme arc-en-ciel.

Derrière eux, deux immenses squelettes noirs s'approchèrent.

— Des Wither squelettes ! cria Henry.

Rufus n'aboyait pas après les hommes arc-en-ciel, mais après les squelettes maléfiques. Les deux créatures sombres bondirent sur le groupe, frappant Steve à l'aide d'une épée de pierre. Il s'écroula au sol sans lâcher ses diamants.

Max dégaina son épée en or et frappa l'un des squelettes. Dans un grand « crac », ses ossements tombèrent au sol.

Un homme arc-en-ciel affrontait l'un des Wither squelettes dans une tornade de coups d'épée. À l'issue d'un combat acharné, il fit voltiger l'arme du squelette et acheva la créature d'un coup bien placé.

— Nous avons réussi ! dit Steve en se relevant du sol.

— Non, j'ai réussi, dit l'homme arc-en-ciel en se tournant vers Steve.

Il lui assena alors un violent coup d'épée qui lui arracha un cri de douleur.

— Et maintenant, donnez-nous les diamants, exigea son comparse.

— Nous n'en avons pas, répliqua Lucy d'une voix tremblante.

— Vous mentez. Nous vous avons suivi depuis la mine, rétorqua l'un d'eux.

Il s'approcha d'elle, l'épée pointée vers son visage.

Au même moment, deux blazes arrivèrent en volant dans le ciel obscur. En repérant l'attroupement, ils ouvrirent leur gueule pour cracher des boules de feu. Lucy se jeta sur le côté pour éviter un projectile incendiaire, qui frappa un homme arc-en-ciel de plein fouet. En se précipitant pour l'aider, son comparse se retrouva englouti par les flammes.

— Adieu, les vandales ! s'écria Lucy.

Ils partirent alors à la recherche du portail de Steve. Ils eurent l'impression d'errer pendant des heures dans la chaleur étouffante du Nether, jusqu'à ce que Henry montre du doigt une forteresse.

— N'est-ce pas celle que tu as visitée ?

Steve n'en avait pas la moindre idée. Tout lui semblait identique et il était fatigué, affamé et désorienté.

— Je ne sais pas vraiment, répondit-il en approchant de la forteresse.

— Ne t'inquiète pas, lui dit Lucy en souriant. De toute façon, nous devons transformer ces diamants en épée avant de revenir. Et tout d'abord, nous devons…

Max l'interrompit :

— … fabriquer de l'obsidienne !

— Oui, ajouta Henry, et quoi de mieux que de la lave pour en faire.

Ils s'arrêtèrent tous : ils étaient arrivés à une mer de lave. Soudain, Lucy dérapa.

— Ne tombe pas ! s'écria Max.

13

Voyage en Ender

Henry rattrapa Lucy de justesse avant qu'elle tombe dans la lave. Pour créer une table d'enchantement, il leur fallait de l'obsidienne, créée avec de l'eau et du magma. Hélas! la procédure était très dangereuse. Après cette chute évitée de justesse, ils avaient peur de ne pas y arriver.

—Sans table d'enchantement, nous n'arriverons jamais à créer d'épée surpuissante et tous les diamants seront inutiles, maugréa Steve.

Rufus remua la queue en s'asseyant auprès de son maître, sans bien comprendre le sérieux de la situation.

— Je vais réessayer, dit Lucy.

Elle s'approcha courageusement de la lave en tenant un seau, mais retira aussitôt sa main.

— Je vais me brûler. On ne va pas y arriver comme ça.

— C'est tout simplement impossible, déclara Max.

— J'ai un plan, rétorqua Henry en souriant, mais cela risque de ne pas vous plaire. Il faut nous rendre dans l'Ender.

— L'Ender ? hoqueta Lucy.

— C'est là où vit le Dragon de l'Ender, dit Steve d'une voix tremblante.

Il avait lu des récits concernant cette créature. On racontait qu'elle était le maître des Endermen et qu'il était impossible de survivre à ses attaques.

— Le Dragon de l'Ender ne fera qu'une bouchée de nous, dit Max.

— Il y a plein de piliers d'obsidienne dans l'Ender. Nous pourrions fabriquer une table d'enchantement ainsi qu'un portail pour revenir dans l'Overworld, expliqua Henry.

— Cela ne vaut pas le coup, protesta Steve. Nous pouvons très bien faire de l'obsidienne ici.

Pour prouver ses dires, il attrapa un seau et s'approcha de la lave. Hélas ! il ne pouvait pas en prendre sans risquer de tomber dedans. C'était trop dangereux. Rufus jeta un seul coup d'œil au magma avant de s'éloigner prudemment.

— Comment faire pour aller en Ender ? demanda Steve en s'asseyant au bord de la mare de lave.

— Nous devons ouvrir un portail, expliqua Henry. On ne peut en créer un que dans une forteresse du Nether.

Celle-ci se trouvait loin de là, à l'horizon. Un silence pesant régna entre eux, jusqu'à ce que Steve prenne la parole :

— Je ne suis pas rassuré. Je ne suis jamais allé dans l'Ender.

— Moi non plus, dit Lucy, mais il nous faut cette obsidienne. Sinon, comment veux-tu aider les villageois ?

— Je n'y suis jamais allé non plus, ajouta Max.

— Ce sera une première pour moi aussi, admit Henry.

— Hein ?! s'exclama Steve d'un ton choqué. Tu nous entraînes dans un endroit dont tu ne connais rien ? On pourrait tous se faire tuer.

— Je pense qu'un groupe bien soudé pourrait réussir à vaincre le dragon, argumenta Henry.

— Tu crois vraiment en nous, alors ? dit Steve d'un air surpris.

— Bien sûr. Regarde tout ce que nous avons déjà accompli. Nous avons les quarante diamants ! dit Henry avec fierté.

Heureusement, la forteresse du Nether n'était pas gardée par des blazes et ils purent atteindre l'entrée sans difficulté. À l'intérieur de la forteresse rouge, ils se mirent en quête du générateur de blazes.

—Nous devons détruire ce générateur et obtenir des bâtons de blaze afin de créer le portail vers l'Ender, expliqua Henry.

Deux Endermen rôdaient dans la forteresse. Steve dégaina son épée et régla son sort à l'un d'eux.

—Je croyais que les Endermen ne vivaient pas dans le Nether, dit Lucy en montrant le deuxième.

—Ils ont dû nous suivre à travers le portail, dit Max.

—Aidez-moi, s'écria Steve. Il faut récupérer leurs perles de l'Ender.

Ces perles étaient lâchées par les Endermen à leur mort. Ils en avaient besoin pour fabriquer l'Œil de l'Ender, un élément essentiel à la création du portail.

Max se joignit à Henry pour décocher flèche sur flèche en direction des créatures. Ils éliminèrent rapidement tous les Endermen et purent ramasser suffisamment de perles.

—C'est amusant, remarqua Steve. Lorsque j'étais seul dans le Nether, je n'arrêtais pas de me faire attaquer par des blazes. Et voilà que nous n'arrivons même pas à trouver leur générateur.

—Il faudrait le découvrir rapidement. Je commence à fatiguer et ma barre de faim est au plus bas, dit Lucy en ramassant une dernière perle de l'Ender.

Effectivement, tout le groupe était épuisé. Ils n'avaient pas mangé depuis que Lucy avait chassé des poulets. Ils allaient devoir faire vite pour rejoindre l'Ender.

—Je crois avoir vu un générateur de blazes, dit Max en indiquant une salle.

Leur petite troupe fouilla les lieux, mais, hélas ! la pièce était vide. Soudain, deux créatures filèrent à travers la pièce.

—Éliminez-les ! cria Henry.

Les blazes projetèrent un torrent de flammes sur le groupe. Ils se jetèrent à l'abri, manquant de tomber dans la cascade de lave qui traversait la forteresse.

Max utilisa son arc et ses flèches pour abattre l'un des blazes et ses amis se ruèrent sur les bâtons tombés au sol.

Trois autres blazes arrivèrent en crachant des boules de feu. Steve hésitait à utiliser la pomme d'or enchantée qu'il avait mise de côté pour sauver Eliot le forgeron. Maintenant qu'il possédait une potion de faiblesse, il devait garder la pomme pour son ami. Il frissonna à la pensée d'Eliot condamné à une vie de zombie. Ses réflexions furent interrompues par les aboiements furieux de Rufus. Il se prépara alors au combat.

—J'ai des pommes d'or pour vous, déclara alors Lucy.

Protégé par la magie, leur petit groupe élimina rapidement leurs adversaires.

—Nous avons maintenant assez de bâtons de blaze, s'exclama Steve d'un ton enjoué.

Henry se mit à l'ouvrage pour bâtir le portail vers l'Ender pendant que les autres restaient à l'affût de la moindre menace, comme des cubes de magma gluants.

Ils construisirent le portail dans une grande salle de la forteresse, entouré de douze Yeux de l'Ender. Un nuage de poussière noire s'éleva au-dessus de l'ouverture.

— Je ne veux pas y aller, s'écria Steve.

— Nous devons le faire, et vite, ordonna Henry.

— Je croyais que personne ne pouvait revenir de l'Ender ? dit Steve en tremblant de peur.

— Non, il est possible de revenir dans l'Overworld si on bat le dragon, expliqua Lucy.

Elle avait dit cela comme si c'était une balade de santé, mais Steve était persuadé qu'une mort certaine les attendait là-bas. Avant qu'il n'ait eu le temps de s'enfuir, Henry le poussa à travers le portail. Les autres lui emboîtèrent le pas et ils se téléportèrent tous dans l'Ender.

14

LE DRAGON DE L'ENDER

L'ENDER ÉTAIT PLONGÉ DANS L'OBSCURITÉ. Des plates-formes verdâtres flottaient dans le vide. La petite troupe atterrit sur l'une d'elles, en face d'une tour d'obsidienne.

— Regardez, dit Henry en indiquant le pilier. Il suffit de récupérer des blocs et de vaincre le dragon, puis nous pourrons y aller.

— Est-ce que tu vois un cristal au sommet ? lui demanda Steve.

— Oui, répondit-il.

— Tu sais à quoi il sert ? demanda Steve, tout en connaissant déjà la réponse.

Tout le monde connaissait le rôle de ces cristaux. C'était la source d'énergie du dragon. Quel que soit le nombre de coups qu'il recevait, le monstre pouvait survivre grâce aux cristaux.

— Peu importe, dit Henry d'un ton confiant. Nous allons tout de même le battre.

Lucy avança d'un pas tremblant jusqu'au bord de la plate-forme.

— Si nous tombons, dit-elle en montrant le vide s'étendant en dessous d'eux, nous serons perdus à jamais dans le néant.

— Reste en arrière, Rufus, ordonna Steve à son loup, qui obéit fidèlement. Je vois une surface sur laquelle on peut marcher, ajouta-t-il en regardant en contrebas. Nous devrions bâtir un pont jusqu'à cet escalier.

Les marches gigantesques se trouvaient à une courte distance de la plate-forme. Le groupe commença à bâtir un pont tout en plaçant des blocs d'obsidienne dans leurs inventaires.

— Nous avons assez d'obsidienne pour fabriquer une table d'enchantement, annonça Steve.

— Oui, mais il va falloir affronter ça d'abord, dit Lucy.

Elle indiqua d'une main tremblante l'énorme dragon noir qui volait en direction du groupe. Ses yeux violets brillaient au milieu du ciel obscur de l'Ender. Au sol, une armée d'Endermen avançait à la suite de leur maître.

Max tira sur le dragon. Une de ses flèches toucha la bête en pleine tête. Le dragon plongea droit vers le sol, évitant de peu les Endermen.

— Tu as réussi ! s'écria Steve joyeusement.

— Ce n'est pas si simple, dit Max en tirant une nouvelle flèche.

Le reptile ailé avait repris son vol en direction de leur groupe, prêt à attaquer.

— Nous l'avons agacé, c'est sûr, dit Max en décochant un nouveau trait, qui rata sa cible.

Henry, Lucy et Steve joignirent leurs tirs à ceux de Max.

— Au moins, nous sommes quatre et il est seul, dit Lucy en décochant trait sur trait en direction du dragon.

Celui-ci poussa un rugissement assourdissant lorsqu'une flèche perça son cuir écailleux. Le son était si puissant qu'ils faillirent lâcher leurs arcs pour se boucher les oreilles.

— Il a l'air mal en point. Nous avons une chance de le vaincre, annonça Henry.

À cet instant, le dragon se dirigea vers les cristaux et commença à les manger. Les flèches de Henry qui touchaient son ventre exposé ne lui faisaient plus aucun mal.

— Nous devons détruire les cristaux, annonça Lucy à la cantonade. Comme ça, le dragon n'aura plus de source d'énergie.

Ils s'attelèrent donc à faire exploser les cristaux à coups de flèches. Hélas ! le dragon en avait mangé suffisamment et s'élança sur eux à toute vitesse.

Ils se jetèrent au sol pour éviter le monstre. Max le toucha d'une flèche et Rufus lui aboya après, mais le dragon ne prêta pas attention au loup.

Son deuxième rugissement fut encore plus retentissant que le premier. La bête semblait vouloir anéantir le petit groupe qui osait s'en prendre à elle. Le puissant dragon ne montrait aucun signe de faiblesse, mais on sentait bien qu'il souffrait sous l'assaut de ses quatre adversaires. La victoire était proche.

— Nous l'avons blessé. Continuez à tirer, les gars, dit Henry alors que l'équipe essayait de nouveau de toucher le cauchemar volant.

Ils avaient bien l'intention de lui assener le coup de grâce.

— Des Endermen ! s'écria Steve en voyant les créatures emprunter le pont.

Steve sortit des citrouilles de son inventaire.

— Si nous nous les mettons sur la tête, ils ne nous remarqueront pas.

En portant ces masques, ils empêchaient les Endermen de les reconnaître. Le groupe continua de tirer sur le Dragon de l'Ender. À chaque impact, ses cris gagnaient en intensité. Il fonça dans leur direction, prêt à les anéantir.

— Nous sommes fichus, gémit Steve en se couvrant les yeux.

— Non, pas encore ! cria Max alors que sa flèche se fichait entre les deux yeux du dragon, qui s'écrasa au sol.

— Est-ce qu'il est mort ? demanda Lucy.

— Voilà qui répond à ta question, dit Henry en indiquant le portail émergeant du sol verdâtre devant eux.

Ils avaient bel et bien vaincu le dragon, la créature la plus féroce du monde de Minecraft. Ils étaient désormais des guerriers accomplis. Une fois qu'ils auraient sauvé les habitants du village, ils deviendraient de véritables héros.

— Nous devons retourner dans l'Overworld, dit Steve.

Ils descendirent les marches branlantes jusqu'au champ de blocs verdâtres, puis ils s'approchèrent du trou entouré de piliers de feu. Un œuf de dragon trônait au sommet.

— Je ne voudrais pas être là lorsqu'il éclora, dit Steve.

Les autres hochèrent la tête. Accompagné de Rufus, Steve traversa alors le portail sans la moindre hésitation.

15

Retour à la maison

Rufus aboya lorsque le groupe émergea du portail dans un monde verdoyant.

— C'est ma ferme ! s'exclama Steve.

Il n'avait jamais été aussi heureux de sa vie. Il entendit Calinou miauler près du portail.

Le jour était levé, ce qui signifiait qu'ils étaient à l'abri des zombies. Steve fit faire le tour de la ferme à ses amis.

Lucy sortit son arc pour abattre un cochon.

— Désolée, j'étais affamée, dit-elle en partageant la viande avec les autres.

— J'ai des tonnes de nourriture, dit Steve en proposant des carottes et des pommes de terre à ses amis.

— C'est un endroit formidable! s'exclama Max.

Le groupe pouvait enfin se détendre en profitant de la nourriture et de la ferme.

— Il faut construire la table d'enchantement, annonça Steve.

La nuit n'allait pas tarder à tomber et ils devaient se rendre au village pour affronter les zombies et sauver ses amis.

À l'aide de l'obsidienne, ils enchantèrent leurs épées de diamant. Pour affronter la horde de zombies, ils devaient être parés au combat.

— N'oubliez pas de mettre un diamant de côté pour faire un juke-box, leur rappela Lucy. Je veux faire la fête avec les villageois lorsque nous les aurons sauvés.

— D'accord, répondit Steve.

Il avait tellement hâte de sauver les habitants qu'il avait oublié les disques qu'ils avaient récupérés durant l'affrontement contre les squelettes et les creepers.

Soudain, il entendit des aboiements. Rufus venait de faire la connaissance de Calinou et il crut que le contact passait mal. Bien au contraire : en regardant dehors, il les vit en train de jouer joyeusement ensemble. Pendant ce temps, ses amis terminaient leurs créations en diamant.

— Regardez-moi ces épées ! dit Max d'un ton impressionné.

Henry prit sa nouvelle épée de diamant et s'approcha de Steve à pas lents.

— Henry ? demanda celui-ci nerveusement, qu'est-ce que tu fais ?

— Je veux tous les diamants, répondit Henry en pointant son arme vers le visage de Steve.

— Non, répondit-il.

Il dégaina son épée, prêt à combattre. Il avait eu raison depuis le début : il ne fallait pas faire confiance à Henry.

— Donne-nous tous tes diamants et toutes tes carottes et on te laissera tranquille, dit celui-ci en faisant un moulinet avec son épée.

Steve recula d'un pas, alors que Max et Lucy restaient figés, sans savoir quel camp choisir.

— Vous comptez m'aider, oui ou non ? leur demanda Steve en évitant un nouveau coup.

Ils gardèrent le silence.

— Vous venez m'aider ? leur demanda Henry.

Pas un mot de leur part.

Les deux adversaires échangèrent des coups d'épée, bloquant leurs attaques respectives.

— Pourquoi fais-tu cela ? demanda Steve. Je croyais qu'on était amis. Tu es un vandale, c'est ça ?

— Je suis un chasseur de trésors et tu en as plein ! hurla Henry.

— C'est une véritable trahison, cria Steve en retour. Tu es en train de m'attaquer, pas de voler des trésors. Je savais qu'on ne pouvait pas te faire confiance, pas même après tout ce qu'on a traversé.

—Et moi, je savais qu'en attendant mon heure je serais récompensé. Regarde ta belle ferme, remplie de chouettes objets. Je pourrais vivre ici pendant une éternité.

C'est alors que Lucy poussa un cri si puissant que les vitres éclatèrent.

—Arrêtez!

Son cri suraigu poussa Rufus et Calinou à se mettre à l'abri. Henry lâcha son épée.

—Tu as raison, Steve, dit-elle. Nous ne sommes pas seulement des chasseurs de trésors. Nous étions aussi des vandales.

—Nous étions? s'étonna Henry. Nous sommes des vandales.

—Non, répondit-elle en braquant son regard sur lui. Tu te souviens de ce que tu as ressenti quand cette brute a essayé de dérober nos diamants?

—Oui, dit Henry en regardant ses pieds.

—Nous ne pouvons pas faire subir cela à Steve. Oui, au début nous voulions lui voler ses possessions, mais il est devenu notre ami. Pense un peu à tout ce qu'il a fait pour nous. Et à tout ce que nous avons traversé.

—Mais..., commença Henry, avant que Max ne l'interrompe:

—Nous devons rester soudés et combattre les zombies aux côtés de Steve. Ce n'est pas bien d'agir ainsi, Henry. Ce n'est pas parce que nous faisions des bêtises avant qu'il faut continuer aujourd'hui.

—Oui, renchérit Lucy, heureuse de voir son ami d'accord avec elle. Max a tout compris. Nous devons aider Steve. Et maintenant, donne-moi ton épée de diamant, Henry. Tu ne la mérites pas.

Steve se demanda un instant si ce n'était pas un piège.

*Peut-être que Max et Lucy font semblant d'*être de *mon* côté pour mieux *m'attaquer une fois les zombies éliminés?* se dit-il.

Il ne savait plus quoi penser. Finalement, il se tourna vers Lucy, qui lui adressa un sourire. Il comprit alors qu'il devait lui faire confiance et que Henry méritait une seconde chance.

— Redonne-lui son épée, dit-il à Lucy.

— Hein ? s'exclama Henry, abasourdi.

— Garde-la. Tu vas en avoir besoin pour affronter les zombies.

— Tu es sérieux ? demanda Henry, stupéfait de la réaction de Steve.

— Écoute, je sais que ton instinct te pousse à détruire et voler les autres, mais je sais aussi que tu peux devenir quelqu'un de meilleur. Tu nous as beaucoup aidés lorsque nous cherchions les diamants. Je n'arrive pas à croire que tu as fait tout cela pour me voler à la fin. Ça n'a aucun sens. Tu as travaillé dur et tu t'es donné à fond.

Henry contempla Steve alors que Lucy lui rendait son épée.

— Merci, dit-il ensuite. Je crois que tu as raison. J'ai juste eu envie de posséder tous les diamants en les voyant.

Le soleil commençait à se coucher.

— Nous devons sauver le village, déclara Steve en regardant dehors. Henry, tu t'équipes pour combattre avec nous, ou bien tu fais cavalier seul ?

— Je suis avec vous, les gars, répondit Henry en souriant.

Ils n'avaient pas de temps à perdre en chamailleries. Ils devaient affronter les zombies tous ensemble.

16

Confrontation avec les zombies

Le soleil commençait à se coucher tandis qu'ils enfilaient leur armure et préparaient leur épée de diamant. Ils partirent alors vers le village, Rufus sur leurs talons. Le loup surveillait les environs, à la recherche de creepers ou d'Endermen. Le cœur de Steve battait à tout rompre. Malgré toutes ses aventures, il était nerveux à l'idée de découvrir ce qui était arrivé à son village.

Peut-être qu'il est trop tard pour sauver Eliot le forgeron. Et Avery, est-elle toujours cachée dans la bibliothèque, ou bien a-t-elle été transformée en zombie ? Les pommes d'or enchantées vont-elles suffire pour les sauver ?

Toutes ces pensées lui traversèrent l'esprit alors qu'ils approchaient de ce lieu autrefois paisible.

Le village était entièrement vide. Le golem de fer gisait toujours en morceaux en pleine rue. Steve et ses amis traversèrent les lieux, à la recherche du moindre signe de vie. Il les conduisit jusqu'à la forge d'Eliot, mais elle était également vide.

Où sont donc les villageois ?

Steve regarda sous le comptoir et dans les recoins de la boutique, sans trouver aucune trace. Rufus se mit alors à aboyer et à courir en rond. Un creeper qui s'était approché d'eux prit peur en voyant le loup et s'enfuit aussitôt.

— J'ai entendu quelque chose, dit Steve en se dirigeant vers la bibliothèque.

Le groupe lui emboîta le pas. Sur place, ils découvrirent des étagères brisées et des livres déchirés. Nombre des livres favoris de Steve étaient éparpillés au sol. Il s'apprêtait à ramasser son ouvrage préféré sur l'agriculture lorsqu'il aperçut Avery, cachée derrière une étagère.

— Avery ! s'exclama-t-il d'un ton enjoué. Est-ce que ça va ?

— Il fait nuit, murmura-t-elle d'un ton effrayé. C'est à ce moment-là qu'ils reviennent.

— Où sont tous les autres ? demanda-t-il.

— Ils se cachent dans la maison de John le fermier, répondit-elle en se redressant.

— Et où sont les zombies ?

— Ils ne vont pas tarder à revenir. Celui qui porte une armure est une véritable plaie. Comme il porte un casque, il vient même pendant la journée. Tout le monde se cache depuis ton départ.

Elle lui adressa un regard rempli d'espoir. Steve comprit que l'heure était venue de sauver le village. Cependant, il ne pouvait y arriver sans l'aide de ses compagnons.

— Voici mes amis, dit-il en présentant Avery à Lucy, Henry et Max. Ils vont m'aider à sauver ce village des cruels zombies.

— Merci, dit-elle d'un ton si ému que Henry manqua de verser une larme.

Soudain, un zombie aux yeux verdâtres fit irruption dans la pièce.

— Oh, non ! s'écria Avery.

Henry sauta sur la créature et l'élimina d'un seul coup de sa toute nouvelle épée de diamant.

— Vous voyez, elle est vraiment surpuissante ! dit-il avec un grand sourire.

Ils espéraient tous que leurs épées seraient assez efficaces pour en finir rapidement avec les zombies. Dehors, les morts-vivants prenaient peu à peu possession des rues. Il y en avait une quantité ahurissante.

— Ce ne sera peut-être pas une partie de plaisir, dit Henry en contemplant son épée de diamant.

— Si nous travaillons ensemble, nous avons une chance de l'emporter, déclara Lucy.

— Ce sera le plus grand défi de ma carrière. Je me sens prêt, dit Max.

Il s'élança alors vers un groupe de zombies et en abattit un d'un puissant coup d'épée.

Steve savait qu'il n'aurait jamais pu tenter le coup tout seul. La présence de ses amis lui donnait une chance de réussir. Malheureusement, il était bouleversé par un torrent d'émotions. Parmi les zombies, il reconnaissait bon nombre de villageois, dont un en particulier : Eliot le forgeron !

— Eliot ! cria-t-il, mais celui-ci ne réagit pas.

Son ami ne reconnaissait même plus Steve. Pour lui, ce n'était plus qu'un ennemi à vaincre. Il se jeta sur lui et le manqua de peu. Steve devait lui donner la pomme d'or enchantée, mais il fallait également vaincre les zombies qui envahissaient la bibliothèque.

— Avery, cache-toi ! cria-t-il pendant que ses amis se ruaient sur les zombies.

Eliot le forgeron avança vers son ancien ami, une lueur meurtrière dans ses yeux verdâtres.

— Eliot, c'est moi, gémit Steve en vain.

Henry se précipita sur le mort-vivant en brandissant son épée, mais Steve arrêta son geste.

— Stop ! cria-t-il. C'est mon ami. Il nous faut une pomme d'or enchantée et une potion de faiblesse pour le faire revenir à la vie !

— Tiens ! dit Henry en lui envoyant les deux ingrédients.

Steve s'empressa de les donner à Eliot. Au bout de quelques minutes, ses yeux puis sa peau reprirent une couleur normale.

— Merci ! s'écria le villageois. Vous m'avez sauvé, les gars !

Hélas ! l'heure n'était pas aux réjouissances. Le village grouillait toujours de zombies et leur groupe avait du pain sur la planche.

— Tu dois te cacher, Eliot, lui ordonna Steve. Rejoins Avery dans la bibliothèque et abritez-vous derrière des étagères.

Le villageois lui obéit immédiatement.

— J'en ai eu un ! s'écria Lucy en abattant un zombie.

— On a beau en tuer, il y en a toujours plus. D'où viennent-ils donc ? demanda Max d'un ton épuisé.

Les grognements des morts-vivants résonnaient dans tout le village.

— Je crois qu'ils appellent continuellement des renforts, expliqua Steve. Nous devons les affronter jusqu'au dernier. Si nous avons survécu à l'Ender, nous survivrons aussi à cela !

L'épée en diamant de Steve se révéla aussi puissante qu'il l'avait imaginé. Il était ravi de pouvoir détruire ses adversaires aussi rapidement. Henry le rejoignit pour éliminer tout un groupe de zombies.

— Tu vois comme tout est plus facile en équipe ? lui dit Steve.

— Tu as raison, répondit Henry en abattant deux zombies de plus.

Alors qu'ils se frayaient un chemin dans le village, ils remarquèrent que les morts-vivants étaient plus nombreux entre les bâtiments que dans les rues.

Soudain, un nouvel adversaire fit son apparition devant la forge d'Eliot : le zombie en armure.

— Le voilà ! s'écria Steve.

Leur groupe avait pris le temps d'échafauder un plan.

— Nous avons nos épées de diamant ! Nous pouvons y arriver !

Max s'élança vers le zombie et lui assena un coup d'épée dans la jambe. Son coup puissant élimina le zombie, qui abandonna l'armure à sa mort.

— Tu as réussi ! se réjouit Steve.

— Non, répondit Max, nous avons réussi !

— Peu importe, la bataille est presque terminée ! Nous avons éliminé le plus puissant d'entre eux ! s'écria Steve d'un ton enthousiaste.

— Tu peux prendre l'armure, dit Max en la tendant à Steve.

— Merci ! répondit celui-ci en enfilant le plastron.

Henry et Lucy affrontaient les zombies tandis que Rufus patrouillait les rues à la recherche de creepers. Une fois la dernière créature éliminée, Steve arpenta le village pour s'assurer que tous les morts-vivants aux yeux verdâtres avaient bien été exterminés. Une fois tous les recoins fouillés, il put enfin crier victoire.

— Nous devons recréer un golem de fer, déclara-t-il en se mettant à l'œuvre aussitôt.

— Qu'est-il arrivé à l'ancien ? demanda Henry.

— Un vandale l'a détruit pour s'emparer de son fer, lui expliqua Steve.

— Ce genre d'individus peut faire des ravages, dit Henry d'un ton songeur.

Au même moment, Eliot, John et Avery arrivèrent en courant.

— Tu as sauvé notre village, s'exclama John le fermier.

— Tu es mon héros ! dit Eliot en souriant.

— Et tu es arrivé à temps, ajouta Avery.

— Merci, répondit Steve. Je suis ravi que vous soyez tous sains et saufs. Nous pouvons maintenant rebâtir le village. Et ne me remerciez pas, remerciez plutôt mes amis. Sans eux, je n'aurais rien pu faire.

Henry regarda les villageois féliciter ses camarades. Il se tenait derrière un arbre, sans trop savoir quoi faire. Il n'avait jamais rien fait de bien pour personne auparavant et il était envahi d'émotions étranges. Steve s'approcha de lui.

— Tu vois comme c'est important d'aider les autres ? Nous pourrions dévaliser les villageois, mais c'est encore mieux de les aider.

— Je me sens bizarre. Cela ne m'était jamais arrivé avant, admit Henry.

— C'est ce que l'on ressent quand on a bien agi, expliqua Steve. Rejoins-nous et laisse les villageois te remercier. Tu l'as bien mérité, mon ami.

Ils se rendirent tous les deux au centre du village, où les habitants s'étaient regroupés pour célébrer la victoire. Ils étaient tous sortis de leurs abris, car ils ne craignaient plus rien.

— Nous allons organiser une fête à ma ferme ! annonça Steve à l'assemblée. Je veux que tout le monde vienne célébrer la destruction des zombies et trouver des idées pour rendre le village encore plus sûr.

— Nous avons déjà terminé le nouveau golem de fer, annonça Lucy en coiffant ce dernier d'une tête de citrouille.

— Réjouissons-nous de cette victoire. Ce ne fut pas facile, mais c'était pour la bonne cause, dit Henry.

La foule l'acclama.

Je n'ai jamais été aussi heureux de ma vie, se dit-il. *Steve avait raison, c'est génial d'aider les autres.*

Les compagnons conduisirent les villageois à la ferme, parés à faire la fête ! Rufus salua le lever du soleil d'un aboiement joyeux.

17

La fête

Steve n'avait jamais accueilli autant de monde chez lui. Il était ravi de recevoir ses amis. Les villageois se pressaient dans son salon, heureux d'être enfin sortis de leur cachette, libérés de la menace des zombies. La plupart d'entre eux n'étaient jamais allés à une fête.

Steve distribua des chapeaux pointus à tout le monde, puis il installa une table recouverte de cookies et autres friandises pour les villageois et ses nouveaux amis.

Lucy mit un disque dans le nouveau juke-box en diamant et tout le monde se mit à danser.

— Regardez mes émeraudes, dit Eliot en montrant les murs incrustés de joyaux de la maison de Steve.

— Ce sont mes émeraudes maintenant, répondit Steve en souriant. Nous avons fait l'échange.

— C'est vrai, répondit Eliot en souriant à son tour. Tu devrais revenir à ma forge pour faire d'autres échanges.

— Dans quel état est ta boutique ?

— Elle est presque dans son état normal. Il va nous falloir du temps pour retaper le village, mais grâce à toi tout n'est pas perdu.

— Et tu n'es plus un zombie, ajouta Steve. Ce fut une sacrée bataille aujourd'hui.

— Tu nous as tous sauvés, s'exclama Avery en s'approchant de lui.

— Non, ce sont mes amis et moi qui vous avons sauvés, répondit Steve.

Il amena alors Henry, Lucy et Max au centre de la pièce et les villageois se pressèrent autour d'eux.

— Ce sont mes meilleurs amis. Ensemble, nous pouvons tout accomplir !

Steve y croyait sincèrement. Il songea un instant à raconter aux villageois leur combat contre le Dragon de l'Ender, mais il ne voulait pas avoir l'air de se vanter. D'un autre côté, il avait encore du mal à y croire lui-même et il aurait voulu partager cette histoire.

— Nous sommes ravis de vous avoir aidé, dit Henry aux villageois, mais il est inutile de nous remercier. Le simple fait de vous voir tous sains et saufs nous réchauffe le cœur.

— J'adore chercher des trésors et combattre des créatures hostiles, mais, depuis que je connais Steve, j'ai découvert l'importance d'aider les autres, ajouta Lucy.

— Vous m'avez tant appris, répondit Steve, que je n'ai pas l'impression de vous avoir enseigné quoi que ce soit en retour. Enfin, sauf comment avoir peur.

— Au contraire, tu nous as fait découvrir plein de choses. Tu as d'ailleurs bien changé, tu n'as plus peur du tout, dit Lucy.

— C'est vrai, tu as tout à fait raison ! s'exclama Steve.

Il se sentait le plus heureux du monde. En temps normal, il n'aurait jamais accepté d'avoir autant de monde chez lui, mais ce jour-là il se sentait bien.

Max s'approcha du juke-box pour l'examiner.

— Je suis contente que nous ayons gardé un diamant pour le construire, lui dit Lucy en s'approchant.

— J'ai envie de danser ! s'écria Max en augmentant le volume.

Tout le monde écouta la musique. Henry, Max et Lucy se mirent à danser tandis que Steve rejoignait Eliot pour bavarder.

— J'ai hâte de revenir au village pour échanger mes émeraudes et mon charbon, lui dit-il.

— Tu dois avoir tant d'histoires à raconter. Tu as vécu tant d'aventures avec tes amis. Comment pourrais-tu rester ici ? Tu n'as pas envie de partir en exploration ?

— C'est vrai, Steve, ajouta Henry en s'approchant d'eux. Pourquoi ne pas partir en quête de trésors avec nous ?

Avery se joignit à eux et Steve la montra du doigt en expliquant :

— Je peux me contenter de lire les aventures des romans de la bibliothèque d'Avery.

— Je parie que mes livres ne sont pas aussi passionnants que la réalité, dit celle-ci.

— Oui, ces aventures incroyables, il faut les vivre, ajouta Eliot.

En entendant aboyer, Steve s'excusa un instant pour aller voir Rufus. Son loup apprivoisé jouait avec Calinou. Tout en les regardant, il se dit que sa place était ici, à leurs côtés. Il aimait bien les trésors et il n'avait plus peur du tout, mais il préférait travailler dans sa ferme. Alors que les autres adoraient découvrir de nouveaux endroits, il aimait par-dessus tout le confort de son lit douillet. Steve rejoignit ses amis dans le salon.

— Quelqu'un veut des carottes ? proposa-t-il à la cantonade.

— Quelle générosité ! dit Henry en en grignotant une.

— J'ai travaillé dur et j'ai beaucoup à partager, répondit simplement Steve.

Tout le monde était d'humeur joviale à cette fête et les villageois paraissaient avoir oublié tout souci. La vie de Steve était revenue à la normale.

— Faisons des jeux, proposa Avery.

Tout le monde se lança alors dans des courses-poursuites à travers les étendues verdoyantes de la ferme.

— Gagné ! s'exclama Max en battant Steve à la course.

Ce fut la seule fête que Steve organisa de toute sa vie, mais elle resta gravée à jamais dans sa mémoire. Le jour commençait à décliner.

Comme toutes les bonnes choses ont une fin,
la fête devait se terminer.

18

Des adieux difficiles

Alors que la lune montait dans le ciel, les villageois rentrèrent chez eux avant qu'il ne fasse trop sombre. Ils avaient de rudes journées devant eux pour nettoyer le village des ravages de l'invasion zombie. Les habitants remercièrent Steve et prirent congé, puis celui-ci s'installa dans le salon avec ses amis.

—Avant, j'étais terrifié à l'idée de quitter mon lit la nuit, leur dit-il. Et je ne recevais jamais de visiteurs chez moi.

—On ne croirait pas. C'était vraiment une fête formidable, dit Henry.

Steve contempla l'astre brillant de la lune qui dominait les cieux.

— Qu'est-ce que tu regardes ? Tu as peur que le Dragon de l'Ender arrive ? plaisanta Lucy.

— Je regarde la lune, répondit Steve d'un ton sérieux. Je crois que j'ai envie de l'explorer. Ça vous tente ?

— C'est amusant, la semaine dernière, tu avais peur de sortir de ton lit, et voilà que tu veux partir sur la lune ? s'exclama Max, ravi de voir son ami aussi intrépide.

— Alors, vous voulez vous joindre à moi ? répéta Steve.

— Ce serait chouette ! dit Lucy.

— Il faudrait commencer par trouver le moyen d'y aller, puis nous explorerons l'espace. Cela nous prendra du temps, par contre. Vous voulez rester ici pour m'aider à tout préparer ? proposa-t-il au groupe.

Il avait envie de se reposer pour travailler dans sa ferme et échanger avec les villageois. De toute façon, il ne voulait pas passer trop de temps sur la lune, il pensait juste y faire un saut avant de retourner à sa vie habituelle.

— Honnêtement, je crois que nous préférons partir à la chasse aux trésors, répondit Henry. Nous ne sommes pas du genre à rester au même endroit. Vois-tu, nous préférons découvrir de nouveaux horizons. Nous ne sommes pas seulement en quête de butin, mais aussi de nouvelles sensations.

— La chasse aux trésors nous manquerait de trop, ajouta Lucy. C'était chouette de t'aider, mais nous devons aller là où notre cœur nous mène. On adore trouver de nouvelles choses et utiliser tout notre inventaire.

— Oui, on n'est pas du genre à collectionner, s'esclaffa Henry.

— Hé ! les collectionneurs ont plein de choses utiles, rétorqua Steve. Si je n'avais pas eu de lait, tu serais toujours coincé dans cette caverne, empoisonné par l'araignée.

— Je plaisantais, Steve. C'est vrai, tu es toujours prêt à tout, admit Henry en souriant.

— J'ai beaucoup appris lors de cette aventure. Je sais désormais qu'il y a un temps pour amasser des choses et un temps pour les partager.

— Tu vas nous manquer, dit Lucy.

— Hélas ! nous devons y aller. Cela fait trop longtemps que nous n'avons pas fait sauter quelque chose, ajouta Henry. C'était vraiment chouette de trouver ces coffres au trésor et de faire exploser le temple en sortant. J'ai adoré !

— Je comprends ce que tu ressens, dit Max.

— Ouais, c'est notre passion. Moi, j'ai envie de retourner jouer dans le biome de neige. J'adore explorer ! dit Lucy en regardant le ciel. Par contre, c'est vrai que la lune serait un chouette endroit à visiter.

Henry s'assit au côté de Steve, le regarda dans les yeux et lui dit :

— Tu m'as appris à faire le bien et à ne plus être un vandale. Je te dois la vie pour cela.

— Je sais. Je comprends, dit Steve.

Il savait que ses amis avaient des buts différents des siens et qu'il ne pouvait pas les empêcher de faire ce qu'ils aimaient. Ils l'avaient aidé à sauver son village et il leur en serait éternellement reconnaissant.

—Je suis vraiment contente qu'on t'ait rencontré, lui dit Lucy en souriant.

—Vous allez tous me manquer, dit Steve.

—Pourquoi ne viens-tu pas avec nous? lui demanda Henry.

—J'adorerais, mais je veux vraiment aider les villageois à tout rebâtir.

—Et trouver un moyen d'aller sur la lune, hein?

—Oui, admit Steve.

—Si tu trouves une idée, préviens-nous, on viendra avec toi, dit Henry en souriant.

Max et Lucy acquiescèrent tous les deux.

—Ce serait chouette! dit Steve en raccompagnant le groupe à la porte.

Ils restèrent un instant sous le porche à contempler la lune.

— Je me demande à quoi ça ressemble, là-haut, dit Lucy.

— Je suis sûr qu'il y a plein de chouettes trésors, ajouta Henry.

— Il n'y a qu'un seul moyen de le savoir, dit Steve.

Il sourit en imaginant toutes les aventures que ses amis et lui pourraient vivre dans l'espace.

— Au revoir, Steve, lui dit Henry alors que le petit groupe quittait la ferme.

Rufus et Calinou vinrent saluer les trois amis.

— Je n'aime pas les adieux, leur dit Steve.

— Dis-toi que ce ne sont pas des adieux et pense plutôt à la prochaine fois qu'on se verra, dit Max.

Steve regarda en souriant ses amis partir au loin, à la recherche de trésors. Il espérait que leurs épées de diamant les protégeraient pendant leur exploration du vaste monde.

CASTELMORE C'EST AUSSI…

… LES RÉSEAUX SOCIAUX

Toute notre actualité en temps réel :
annonces exclusives, dédicaces des auteurs, bons plans…

facebook.com/CastelmoreFR

Pour suivre le quotidien de la maison d'édition et
trouver des réponses à vos questions !

twitter.com/CastelmoreFR

Les bandes-annonces et interviews vidéo sont ici !

youtube.com/CastelmoreFR

… LA NEWSLETTER

Pour être averti tous les mois par e-mail de la sortie de nos romans.

www.bragelonne.fr/abonnements

… ET LE MAGAZINE NEVERLAND

Chaque trimestre, une revue de 48 pages sur nos livres
et nos auteurs vous est envoyée gratuitement !

Pour vous abonner au magazine, rendez-vous sur :

www.neverland.fr

Castelmore est un label des éditions Bragelonne.

Aubin
IMPRIMEUR

Achevé d'imprimer en août 2015
N° d'impression 1507.0003
Dépôt légal, septembre 2015
Imprimé en France
36231160-1